# ¡Viva el Español!

# CONVERSO MUCHO

# Workbook

**Ava Belisle-Chatterjee, M.A.**

Chicago School District 6

Chicago, Illinois

**Marcia Fernández**

Chicago School District 6

Chicago, Illinois

**Abraham Martínez-Cruz, M.A.**

Chicago School District 6

Chicago, Illinois

**Linda West Tibensky, M.A.**

Oak Park School District 200

Oak Park, Illinois

National Textbook Company

NTC a division of *NTC Publishing Group* • Lincolnwood, Illinois USA

# Contents

# La página de diversiones ●◈ ▪▫ ◉ ◆ ▫▫ ● ◇ ▪▪ ◉ ◆ ▫▫

## Busca las palabras

Read the words in the list and try to find them in the box. The words are either down or across. When you find a word, circle it and then make a check mark by the word in the list. One has been done for you.

alumna
lápiz
libro
luz
papel
puerta
reloj
√ silla
un
una

| | | | | | | | | |
|---|---|---|---|---|---|---|---|---|
| S | I | L | L | A | Z | T | U | N |
| R | L | O | L | L | I | B | R | O |
| E | Á | R | P | U | E | R | T | A |
| L | P | A | E | M | N | Á | R | L |
| O | I | S | Z | N | U | N | A | U |
| J | Z | T | P | A | P | E | L | Z |

# ¡Aprende el vocabulario!

A. Imagine that the Spanish class is moving to a different classroom. Everything must be counted before it is moved to the new room.

Look at the picture and write the word or words for each number you see. Follow the model.

**M** veinte y ocho _____

_____

lápices

3. _____

_____

sillas

1. _____

_____

computadoras

4. _____

_____

hojas de papel

2. _____

_____

libros

5. _____

_____

relojes

# Think Fast! 〜〜〜〜〜〜〜〜〜〜〜〜〜〜〜

Circle the highest number in each row.

1.     catorce          quince          trece          veinte

2.     nueve          diez          siete          cuatro

3.     diez y seis          diez y ocho          diez y siete          once

4.     dos          veinte y dos          doce          veinte y tres

B. Pepito's computer is broken. It has changed all the numerals of his addition problems into words.

First, read the problem. Then write the numbers for the words. Follow the model.

**M**  Cuatro más uno son cinco.

   $4 + 1 = 5$
   _____

**1.**  Diez más dos son doce.

   _____

**2.**  Once más diez son veinte y uno.

   _____

**3.**  Trece más tres son diez y seis.

   _____

**4.**  Siete más ocho son quince.

   _____

**5.**  Nueve más catorce son veinte y tres.

   _____

**6.**  Uno más once son trece.

   _____

**7.**  Veinte y cuatro más dos son veinte y seis.

   _____

**8.**  Veinte y ocho más uno son veinte y nueve.

   _____

## Think Fast! 〰〰〰〰〰〰〰〰〰〰〰〰〰〰〰〰〰

How do you ask a classmate for his or her telephone number? Unscramble each word and write it in the answer blank.

¿ _____ es tu _____ de _____ ?
   áuCl                      úrenom                      lootnefé

C. Luisa has called to ask you for the telephone numbers of some classmates. Before you read them to her, write down the words.

First, read the telephone number. Then write the words for each number. Follow the models.

M   Víctor: 342-8732

   **tres, cuatro, dos—ocho, siete, tres, dos**

M   Amalia: 921-1524

   **nueve, veinte y uno—quince, veinte y cuatro**

1. Juanita:  863-5060

   _____

2. Anselmo:  585-9864

   _____

3. Timoteo:  765-8743

   _____

4. Margarita:  713-2514

   _____

5. Bernardo:  829-1618

   _____

D. Make your own telephone book!

Ask ten classmates for their telephone numbers. Then write down their names and numbers on the page.

### Mis amigos

| **Nombre** | **Número de teléfono** |
|---|---|

1. _____     _____

2. _____     _____

3. _____     _____

4. _____     _____

5. _____     _____

6. _____     _____

7. _____     _____

8. _____     _____

9. _____     _____

10. _____     _____

# La página de diversiones ●◈ ■፥ ⊙◆ ▫▫ ● ◇ ▪▪ ◉ ◆ ▫▫

## Busca el número

Find the name of the number in each row. Draw a circle around the word that stands for the numeral on the left.  Follow the model by tracing the circle.

| | | | | | |
|---|---|---|---|---|---|
| 7 | tres | ocho | dos | (siete) | cuatro |
| 5 | cinco | tres | quince | seis | uno |
| 12 | ocho | dos | once | doce | siete |
| 4 | veinte | cuatro | diez | catorce | dos |
| 13 | nueve | tres | trece | cinco | uno |

## ¿Cuál número falta?

Write the number that is missing to make each problem correct. Follow the model.

**M**  cinco más _____**cuatro**_____ son nueve

1.  diez más _____ son quince

2.  once más _____ son veinte

3.  _____ más doce son veinte y seis

4.  _____ más cuatro son veinte y uno

5.  veinte y tres más _____ son veinte y nueve

# ¡Aprende el vocabulario!

A. Claudia spent hours making a poster for class. Unfortunately, the glue was old. All the pictures fell off their shapes on the poster.

First, read each sentence. Then, draw a line from the picture to the shape, according to the sentence. Follow the model by tracing over the dotted line.

√ **1.** Hay un bolígrafo en el círculo.

   **2.** Hay una ventana en el triángulo.

   **3.** Hay una cesta en el círculo.

   **4.** Hay una mesa en el cuadrado.

   **5.** Hay un pupitre en el rectángulo.

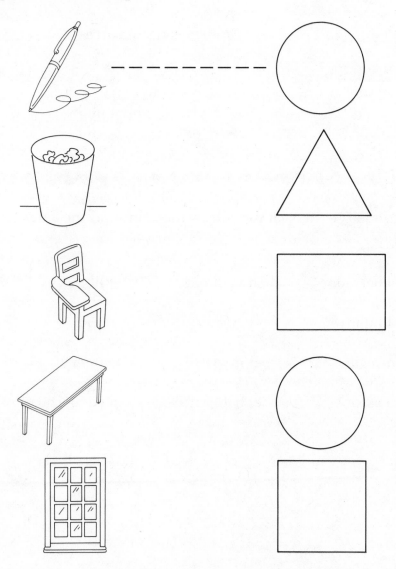

B. Gregorio is writing words on the chalkboard. Every time he moves to the next word, his sleeve erases part of another word. Help him out.

Look at the words in the list; then look at the words with missing letters. Write the missing letters in the blank spaces. Follow the model. (Note: There are more words in the list than you will need!)

| | | |
|---|---|---|
| el pupitre | el borrador | el mapa |
| el bolígrafo | ✓ el cuaderno | la regla |
| la tiza | la cesta | la mesa |

M  el cua __d__ __e__ __r__ no

1. la  ___ ___ ___ la

2. el bo ___ ___ grafo

3. el  ___ ___ pa

4. el borra ___ ___ ___

5. la  ___ ___ za

6. el pupi ___ ___ ___

## Think Fast! ◦◦◦◦◦◦◦◦◦◦◦◦◦◦◦◦◦◦◦◦◦◦◦◦◦◦◦◦◦◦◦◦◦◦◦◦◦

Circle the largest object in each row. Draw a box around the smallest object in each row.

1. el borrador       la ventana       el libro

2. el pupitre       el globo       la tiza

3. la regla       el mapa       la puerta

4. la cesta       el bolígrafo       el cuaderno

C. Mario has a messy desk! How in the world can he fit so many things in his desk?

First, look at the picture. Then, on the line beside each number, write the name of the object with that number on it. The first one is done for you.

### ¿Qué hay en el pupitre?

1. <u>el globo</u>                4. _____

2. _____   5. _____

3. _____   6. _____

# ¡Vamos a practicar!

A. It's "Visitors' Night" at school and you have been assigned the task of making labels for items in the classroom.

Look at the picture and write the word **el, los, la,** or **las** in the label. Follow the model.

**Modelo:**  _____el_____

cuaderno

1.  _____

ventanas

4.  _____

globo

2. 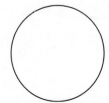 _____

círculo

5.  _____

escritorios

3.  _____

cestas

6.  _____

regla

B. As tour guide for "Visitors' Night," you are in charge of answering people's questions.

First, look at the picture and read the question. Then write the answer in the blanks. Follow the model.

**Modelo:**  ¿Qué es esto?

Es _____la mesa_____

_____ .

1.  ¿Qué son estos?

Son _____

_____ .

2.  ¿Qué son estos?

Son _____

_____ .

3.  ¿Quién es?

Es _____

_____ .

4.  ¿Quién es?

Es _____

_____ .

5.  ¿Qué es esto?

Es _____

_____ .

6.  ¿Quién es?

Es _____

_____ .

7.  ¿Qué es esto?

Es _____

_____ .

8. 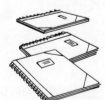 ¿Qué son estos?

Son _____

_____ .

C. Students in Victoria's school have made some new friends.

First, look at the picture. Then, complete the sentence by writing **el amigo, la amiga, los amigos**, or **las amigas** in the answer blank. Follow the model.

María es ___la amiga___ de Inés.

3.

Manuel es _____ de Rodrigo.

1.

Juan y José son

_____ de Diego.

4.

Victoria es

_____ de Linda.

2.

Ana y Rosa son

_____ de Víctor.

5.

Julio y Beto son

_____ de Eva.

D. Señor López is asking you about friends at Victoria's school. How do you answer his questions?

First, read the question. Then look at the pictures on page 24 and write the answer. Follow the models.

M  ¿María es la amiga de Linda?

**No, María no es la amiga de Linda.**
_____

M  ¿María es la amiga de Inés?

**Sí, María es la amiga de Inés.**
_____

1.  ¿Juan y José son los amigos de Eva?

_____

2.  ¿Rodrigo es el amigo de Manuel?

_____

3.  ¿Victoria es la amiga de Diego?

_____

4.  ¿Julio y Beto son los amigos de Víctor?

_____

5.  ¿Ana y Rosa son las amigas de Víctor?

_____

Nombre _____

## ¡Vamos a practicar!

A. Julia needs your help. She doesn't know how to talk about more than one of the words in her list.

First, look at each word. Then, circle the ending you would add to talk about more than one. Finally, write the word in the blank. Follow the model.

| | | | | |
|---|---|---|---|---|
| M | mujer | s | (es) | **mujeres** |
| 1. | hombre | s | es | _____ |
| 2. | reloj | s | es | _____ |
| 3. | pared | s | es | _____ |
| 4. | pupitre | s | es | _____ |
| 5. | papel | s | es | _____ |

## Think Fast!

Now that you know the endings that can help you talk about more than one object, you can recognize the endings on unfamiliar words, too.

Look at the following pairs of words. Draw a circle around the word that stands for more than one object. Draw a box around the word that stands for one object.

1.  tocador    tocadores

3.  enchufes    enchufe

2.  carteles    cartel

4.  billete    billetes

B. Sergio is preparing a report about his classroom. Help him finish his sentences.

First, read the sentence. Then choose the word you would use to complete the sentence. Finally, write the word in the blank. Follow the model.

[M]  Hay tres _____**borradores**_____ en el salón de clase.

borrador  (borradores)

1.  Hay diez _____.

profesor   profesores

2.  Hay un _____ en la _____.

reloj   relojes                    pared   paredes

3.  Los _____ son _____.

profesor   profesores              hombre   hombres

4.  Las _____ son _____.

profesora   profesoras             mujer   mujeres

C. How well can you talk about more than one thing?

First, read the word. Then decide whether you would use **s** or **es** to talk about about more than one. Write the word in the blank. Follow the model.

[M]  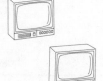  un televisor

dos _____**televisores**_____

2.    un actor

dos _____

1.    un títere

dos _____

3.    un sol

dos _____

D. How well do you know your own classroom?

First read the question. Then count the number of objects or people. Finally, write the answer. Follow the model.

M   ¿Cuántos mapas hay en el salón de clase?

**Hay dos mapas. [No hay mapas.]** _____

1.  ¿Cuántas mesas hay en el salón de clase?

   _____

2.  ¿Cuántas alumnas hay en el salón de clase?

   _____

3.  ¿Cuántos borradores hay en la pizarra?

   _____

4.  ¿Cuántos pupitres hay en el salón de clase?

   _____

5.  ¿Cuántos bolígrafos hay en los pupitres?

   _____

6.  ¿Cuántas paredes hay en el salón de clase?

   _____

7.  ¿Cuántas ventanas hay en la puerta?

   _____

8.  ¿Cuántos relojes hay en el salón de clase?

   _____

¡Aprende **más!**

The Spanish alphabet is almost like the one you know in English. The sounds that the letters stand for are not the same. But in most cases, the letters are written the same way.

Three of the letters stand for special sounds. These letters are different from the ones you know. Look at the alphabet below and circle the three letters that are different.

## El alfabeto en español

| | | | | |
|---|---|---|---|---|
| A, a | F, f | L, l | P, p | V, v |
| B, b | G, g | Ll, ll | Q, q | W, w |
| C, c | H, h | M, m | R, r | Y, y |
| Ch, ch | I, i | N, n | S, s | Z, z |
| D, d | J, j | Ñ, ñ | T, t | |
| E, e | K, k | O, o | U, u | |

# La página de diversiones ●◈.**⊙◆**:■●◇**⊙◆**□

## Maqui el robot

Count carefully and answer the questions about Maqui, the robot.

1. ¿Cuántos cuadrados hay? _____

2. ¿Cuántos círculos hay? _____

3. ¿Cuántos rectángulos hay? _____

4. ¿Cuántos triángulos hay? _____

# ¡Aprende el vocabulario!  ██████████████

A. Imagine that you have entered a contest. If you unscramble the letters and write all the words correctly, you will win.

Read the sentence and unscramble the letters below the line. Then write the word in the blank. Follow the model.

M        El  flamenco es  _____**rosado**_____ .

                                              odsaro

1.        El ratón es  _____ .

                                           isgr

2.        El canario es  _____ .

                                            riamallo

3.        El oso es  _____ .

                                        ogner

4.        El loro es  _____ .

                                         devre

---

Nombre _____

---

B. The zookeeper made a mistake! He painted over the signs about the animals. Help him rewrite the signs.

First, read the sentence. Then circle the word that best describes the animal. Finally, write the word in the blank. Follow the model.

M  El pájaro es _____**pequeño**_____ .

grande      corto      (pequeño)

1.  El flamenco es _____ .

azul      grande      pequeño

2.  El perro es _____ .

largo      verde      corto

3.  El loro es _____ .

claro      oscuro      blanco

4.  El conejo es _____ .

rojo      amarillo      marrón

5.  El oso es _____ .

negro      rosado      azul

6.  El tigre es _____

verde      rojo      anaranjado

y _____ .

blanco      gris      negro

---

C. Pepito is showing you his coloring book. What can you say about the picture?

First, color in the picture. Then answer the questions. Follow the model.

M   ¿Cómo es Antonio?

**Antonio es grande.**

1.   ¿De qué color es el tigre?

   _____

2.   ¿De qué color es Pepe?

   _____

3.   ¿Qué animal es Raúl?

   _____

4.   ¿Qué animal es el profesor?

   _____

5.   ¿De qué color es Marcos?

   _____

6.   ¿Cómo es Raúl?

   _____

7.   ¿Cómo es Pepe?

   _____

8.   ¿Cómo es el señor Flamenco?

   _____

Nombre _____

# ¡Vamos a practicar!

A. Juanito has written some sentences about his classroom, but he isn't sure about how to write the adjectives. Help him out.

First, read the sentence and the adjective in parentheses. Then complete the sentence by writing the appropriate form of the adjective. Follow the model.

M Las reglas son _____largas_____ . (largo)

1. El escritorio es _____ . (pequeño)

2. La puerta es _____ . (blanco)

3. Los bolígrafos son _____ . (negro)

4. Las sillas son _____ . (azul)

5. La ventana es _____ . (grande)

6. Las pizarras son _____ . (verde)

7. Las cestas son _____ . (amarillo)

8. Los cuadernos son _____ . (anaranjado)

# Think Fast! ~~~~~~~~~~~~~~~~~~~~~~~

Circle the word in each row that does not belong.

1.  perro      tigre      oso      pez      azul

2.  loro      amarillo      rojo      gris      rosado

3.  flamenco      canario      conejo      pájaro      loro

4.  largo      corto      grande      ratón      pequeño

B.  There are colors all around you. How many can you name?

First, read the sentence. Then complete the sentence by writing the color or colors of the classroom object. Follow the model.

M̲  El lápiz es _negro y amarillo_____ .

1.  La pizarra es _____ .

2.  Los pupitres son _____ .

3.  El cuaderno es _____ .

4.  La tiza es _____ .

C.  You're on your own!

Make up your own sentences about items in the classroom. You may use colors or other adjectives to describe them.

1.  _____

2.  _____

3.  _____

4.  _____

5.  _____

Nombre _____

## ¡Vamos a practicar!

A. While you were helping señor Millones clean the attic, you found some treasures. What is in the attic?

First, look at each picture. Then complete the sentence by writing **un, unos, una,** or **unas** in the blank. Follow the model.

M      Hay ___una___ bandera.

1.    Hay _____ oso.

4.    Hay _____ ratones.

2.    Hay _____ computadoras.

5.    Hay _____ globos.

3.    Hay _____ plumas.

6.    Hay _____ cesta.

## Think Fast! 〰〰〰〰〰〰〰〰〰〰〰〰

How would you answer this question: **¿Cuál es tu animal favorito?**

_____

_____

B. Marta is feeling contrary today. If you see one thing, she sees more of them. If you see some things, she only sees one.

First, read each sentence. Then write the statement that Marta would say. Follow the model.

M   Hay una ventana grande.

    MARTA: **Hay unas ventanas grandes.** _____

1.   Hay un loro verde y azul.

    MARTA: _____

2.   Hay unos ratones pequeños.

    MARTA: _____

3.   Hay unas computadoras blancas.

    MARTA: _____

4.   Hay un canario amarillo.

    MARTA: _____

5.   Hay una mariposa negra y azul.

    MARTA: _____

6.   Hay un globo grande y unas reglas cortas.

    MARTA: _____

C. The animals from señora Luna's science class have escaped. Where are they now?

For each picture, write a question and an answer. Follow the model.
(Note: **P** means **Pregunta** and **R** means **Respuesta**.)

P: **¿Qué hay en el pupitre?** _____

R: **Hay unos loros en el pupitre.** _____

**1.**

P: _____

R: _____

**2.**

P: _____

R: _____

**3.**

P: _____

R: _____

**4.**

P: _____

R: _____

Nombre _____

¡Aprende **más**!

Once you know the alphabet in Spanish, you know how to put words in alphabetical order. And once you know alphabetical order, you will know how to look up words in a dictionary or glossary.

Let's practice. Each list of words is all mixed up. Next to the list, write the words in alphabetical order. (You do not need to know the meaning of a word to put it in order.) The first list has been started for you.

---

**El alfabeto:** a, b, c, ch, d, e, f, g, h, i, j, k, l, ll, m, n, ñ, o, p, q, r, s, t, u, v, w, x, y, z

---

**1.** silla     **alumno** _____

    libro     _____

    alumno     _____

    llueve     _____

**2.** computadora     _____

    pizarra     _____

    escritorio     _____

    charro     _____

**3.** día     _____

    mañana     _____

    luego     _____

    noche     _____

**4.** zapato     _____

    una     _____

    reloj     _____

    qué     _____

# La página de diversiones ●◆.:⊙◆▫.●◇:▪●◆▫▫

## Busca las palabras secretas

In each box there is one word that does not belong. Find the word and circle it. Then write the words in the blanks below to make a sentence.

1.

| | | |
|---|---|---|
| negro | rojo | amarillo |
| azul | rosado | perro |
| blanco | morado | verde |

2.

| | | |
|---|---|---|
| loro | canario | tigre |
| ratón | pez | oso |
| gris | mariposa | pájaro |

El _____ es _____ .

Now draw a picture to illustrate the secret animal.

# ¡Aprende el vocabulario!

A. Antonio goes to school on weekdays, but he always stays at home on the weekends.

First, read the name of the day.  Then write either **la escuela** or **la casa** on the line beside the day.  Follow the model.

| M | martes | la escuela |

1. jueves    _____

2. sábado    _____

3. lunes    _____

4. domingo    _____

5. viernes    _____

6. miércoles    _____

# Think Fast! ~~~~~~~~~~~~~~~~~~~~~~~~~~~~~~~

What day comes before each of these days?

1. lunes    _____

2. sábado    _____

3. jueves    _____

4. domingo    _____

B. Imagine that today is the fifteenth of the month. The date has been circled on your calendar.

First, look at the calendar. Then, look at the date. Write in the blank next to the date whether it is **esta semana** or **la próxima semana.** Follow the model.

| lunes | martes | miércoles | jueves | viernes | sábado | domingo |
|---|---|---|---|---|---|---|
|  | 1 | 2 | 3 | 4 | 5 | 6 |
| 7 | 8 | 9 | 10 | 11 | 12 | 13 |
| 14 | (15) | 16 | 17 | 18 | 19 | 20 |
| 21 | 22 | 23 | 24 | 25 | 26 | 27 |
| 28 | 29 | 30 |  |  |  |  |

**Modelo:** 24 ___la próxima semana___

1. 17 _____     4. 20 _____

2. 23 _____     5. 16 _____

3. 27 _____     6. 21 _____

C. What day does each date come on?

Look at the calendar in exercise B, page 42. Find the date and write the name of the day on the blank beside it. Follow the model.

**Modelo:**   24      jueves _____

**1.**   2   _____        **6.**   5   _____

**2.**   18   _____        **7.**   29   _____

**3.**   27   _____        **8.**   11   _____

**4.**   14   _____        **9.**   3   _____

**5.**   10   _____        **10.**   30   _____

# Think Fast! ～～～～～～～～～～～～～～～～～～～～

Look at each picture. Below the picture, write the day of the week on which you might go to the place or use the object.

**1.**

_____

**3.**

_____

**5.**

_____

**2.**

_____

**4.**

_____

**6.**

_____

Nombre _____

# ¡Vamos a practicar!

A.  Poor Lupita has a cold and can't hear well.  Show her what each person is saying.

First, look at the picture.  Then read the sentences.  Circle the letter of the sentence that goes with the picture.  Follow the model.

M

   a.  Ana va a la escuela.

   b.  Voy a la escuela.

   c.  Vas a la escuela.

1.

   a.  Voy a la casa.

   b.  Vas a la casa.

   c.  Diego va a la casa.

2.

   a.  Carmen va al cine.

   b.  Vas al cine.

   c.  Voy al cine.

Exercise A continues on page 45.

Nombre _____

**3.**

a. Voy a la casa.

b. Elena va a la casa.

c. Vas a la casa.

**4.**

a. Juan va al cine.

b. Voy al cine.

c. Margarita va al cine.

---

**B.** You are trying to plan your activities for the week. How do your friends answer your questions?

First, read each question and answer. Then, write **voy, vas,** or **va** in the blank to complete the answer. Follow the model.

**M** ¿Va Jaime a la escuela hoy?

Sí, Jaime _____va_____ a la escuela.

**1.** ¿Vas a la escuela el martes?

Sí, _____ a la escuela.

**2.** ¿Va Isabel al cine esta semana?

No, no _____ al cine.

**3.** ¿Voy a la escuela el domingo?

No, no _____ a la escuela.

**4.** ¿Va Luis al salón de clase?

Sí, _____ al salón de clase.

**5.** ¿Vas a la escuela el sábado?

No, no _____ a la escuela.

**6.** ¿Voy al cine el miércoles?

No, no _____ al cine.

**Think Fast!** ∿∿∿∿∿∿∿∿∿

¿Qué día es hoy?

Hoy es _____ .

---

C. Imagine that your male friends are going to the movies this week. Your female friends are going to the movies next week.

First, read the name in parentheses. Then, write a sentence about when that person is going to the movies. Follow the model.

M (Jorge)  **Jorge va al cine esta semana.** _____

1. (Luisa)  _____

2. (Manuel)  _____

3. (Paco)  _____

4. (Elena)  _____

D. Where are your classmates going?

Choose a question to ask four classmates. Then, ask your classmates the question. Finally, write a sentence about each person's answer. Follow the model.

**Preguntas**

1. ¿Vas al cine esta semana?

2. ¿Vas a la clase hoy?

3. ¿Vas a la escuela el fin de semana?

> **Modelo:**  TÚ:  ¿Vas al cine esta semana?
>
> JOSÉ:  No, no voy al cine esta semana.

M  **José no va al cine esta semana.** _____

1. _____

2. _____

3. _____

4. _____

Nombre _____

# ¡Vamos a practicar!

A. Javier's mother can never remember on what days he goes different places. To help his mother, Javier has made a calendar.

First, study the calendar. Then, read the questions. Finally, write the answers in the blanks. Follow the model.

| lunes | martes | miércoles | jueves | viernes | sábado | domingo |
|---|---|---|---|---|---|---|
| la escuela | la escuela | la escuela | la escuela | la escuela | la casa | la casa |
| y | | y | y | y | y | y |
| la clase de guitarra | | la clase de guitarra | la casa de José | el cine | la casa de Marta | el cine |

**M** ¿Cuándo va a la casa de José?

**Va a la casa de José el jueves.**

1. ¿Cuándo va a la escuela?

_____

_____

2. ¿Cuándo va al cine?

_____

3. ¿Cuándo va a la casa de Marta?

_____

4. ¿Cuándo va a la clase de guitarra?

_____

5. ¿Cuándo no va a la escuela?

_____

B. Señorita Durango is from Argentina. She is very interested in the activities of students in North America. How do you answer her questions?

First, read each question. Then, write an answer that is true for you. Follow the model.

> **Modelo:**  ¿Adónde vas los lunes?
>
> **Voy a la escuela los lunes.**
> _____

1. ¿Cuándo vas a la escuela?

   _____

2. ¿Adónde vas los fines de semana?

   _____

3. ¿Cuándo vas a la casa de un amigo o de una amiga?

   _____

4. ¿Vas a la escuela los sábados?

   _____

5. ¿Adónde vas la próxima semana?

   _____

6. ¿Adónde vas los miércoles?

   _____

# Think Fast! ~~~~~~~~~~~~~~~~~~~~~~~~~~~~~~~

First, unscramble the letters to form a word. Then write each word in the blank to form a sentence.

Voy al _____  los _____  _____  _____ .
         inec              esnif           ed          amnase

C.  Miguel has given you a copy of his schedule for this week.  What questions can you
    ask him about his activities?

First, read Miguel's calendar.  Then write six questions you could ask
him.  Write three questions with **¿Adónde?** and three questions with
**¿Cuándo?**  Look at the questions in exercise B if you need help.

| El calendario de Miguel | | | | | | |
|---|---|---|---|---|---|---|
| **lunes** | **martes** | **miércoles** | **jueves** | **viernes** | **sábado** | **domingo** |
| la escuela<br><br>y<br><br>la clase<br>de piano | la escuela | ¡No hay<br>clases!<br><br>el cine:<br><br>"Los<br>flamencos<br>de Miami" | la escuela<br><br>y<br><br>la clase<br>de piano | la escuela<br><br>y<br><br>la casa<br>de Inés | la casa<br>de Paco | la casa<br><br>y<br><br>el cine:<br><br>"El tigre<br>grande" |

1. _____

2. _____

3. _____

4. _____

5. _____

6. _____

D. Where is your partner going this week?

First, choose a partner.  Ask your partner where he or she is going each day of the week.  Then, make a calendar for your partner.

| | |
|---|---|
| **lunes** | |
| **martes** | |
| **miércoles** | |
| **jueves** | |
| **viernes** | |
| **sábado** | |
| **domingo** | |

¡Aprende **más!**

Using the glossary in your textbook is like using a dictionary. It has information to help you find the meaning of a word.

One part that is especially helpful is at the top of each page of the glossary. It is called the **guide word**. Look at the example below.

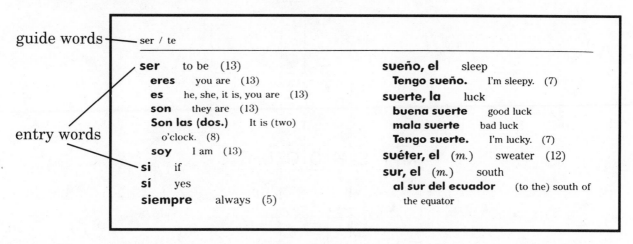

guide words → ser / te

ser     to be   (13)
  eres     you are   (13)
  es     he, she, it is, you are   (13)
  son     they are   (13)
  Son las (dos.)     It is (two)
    o'clock.   (8)
  soy     I am   (13)
si     if
sí     yes
siempre     always   (5)

sueño, el     sleep
  Tengo sueño.     I'm sleepy.   (7)
suerte, la     luck
  buena suerte     good luck
  mala suerte     bad luck
  Tengo suerte.     I'm lucky.   (7)
suéter, el   (m.)     sweater   (12)
sur, el   (m.)     south
  al sur del ecuador     (to the) south of
    the equator

entry words

The guide words tell you what the first and the last entry words are on the page. Guide words help you find information quickly and easily. Find the following information in your textbook's Spanish-English glossary.

1. What are the guide words on page 335?          _____

2. What are the guide words on page 343?          _____

3. On what page are the guide words **usa / zapato**?          _____

4. On what page are the guide words **compañero / charro**?          _____

5. What is the first entry word on page 340?          _____

6. What is the last entry word on page 345?          _____

7. What is the first entry word on page 347?          _____

8. What is the last entry word on page 346?          _____

# La página de diversiones ●◇∎⦂⊙◆⊟▫●◇⬛⦂⊙◆⬚

## Un juego de los días

Write the missing days of the week in the squares. One day is already written for you. Use the letters as clues to fill in the other days.

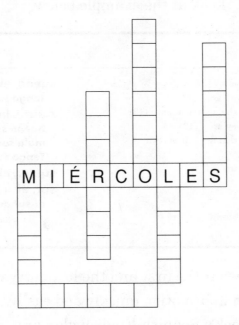

## ¿Adónde va el profesor?

First fill in the missing letter of each word. Then, complete the sentence by writing the word that is formed by the letters in the boxes.

☐ I N E

M ☐ R T E S

J U E V E ☐

D Í ☐

El profesor va a la _____ .

A. Some objects in the classroom are out of place.  Where do they go?

Draw a line from each classroom object on the left to the picture of where it belongs.  Then write the name of the picture in the blank. One has been done for you.

una hoja de papel

**el cuaderno**
_____

unos bolígrafos

_____

el reloj

_____

el borrador

_____

una computadora

_____

---

B. How many are there?

First, read the sentence and the question. Then, write the answer.
Follow the model.

M   Hay diez mesas largas y tres mesas cortas. ¿Cuántas mesas hay?

**Hay trece mesas.**

1. Hay dos canarios y veinte loros. ¿Cuántos pájaros hay?

_____

2. Hay cinco plumas blancas, cinco plumas azules y cinco plumas verdes. ¿Cuántas plumas hay?

_____

3. Hay una pared blanca, una pared amarilla y dos paredes rosadas. ¿Cuántas paredes hay?

_____

4. Hay diez gatos, siete perros y once peces. ¿Cuántos animales hay?

_____

5. Hay diez hombres grandes y cuatro hombres pequeños. ¿Cuántos hombres hay?

_____

6. Hay once profesores y quince profesoras. ¿Cuántos profesores hay?

_____

C. Help Consuelo decorate the bulletin board!

First, read the sentence. Then, find the picture that matches it. Write the letter of the picture on the line beside the sentence. The first one has been done for you. (Look carefully! There are more pictures than there are sentences.)

**1.** Hay un calendario en la pared.　　　　　_____**d**_____

**2.** El muchacho va al cine.　　　　　_____

**3.** La alumna va a la escuela.　　　　　_____

**4.** Hay dos ratones en el escritorio.　　　　　_____

**5.** Hay una mariposa en la ventana.　　　　　_____

**6.** Hay una computadora en el pupitre.　　　　　_____

a.

c.

d.

f.

b.

ch.

e.
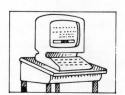
g.

D. Imagine that you are listening to one side of a telephone conversation. You can hear the answers but not the questions.

First, read each answer. Then, read the questions. Choose a question that goes with the answer and write it on the line. There are more questions than answers, so choose carefully! Follow the model.

---

¿Adónde vas mañana?        ¿Qué día es hoy?

¿Cuál es tu animal favorito?    √ ¿Cómo te llamas?

¿Cómo estás?                 ¿Adónde vas el viernes?

¿De qué color es tu perro?     ¿Cuándo vas a la escuela?

¿Cómo es la escuela?        ¿De qué color es el gato?

¿Cuál es tu número de teléfono?   ¿Cuál es tu día favorito?

---

**M**   P:    **¿Cómo te llamas?** _____

     R:    Me llamo Patricio.

**1.** P: _____

     R:    Estoy muy bien, gracias.

**2.** P: _____

     R:    Hoy es sábado.

**3.** P: _____

     R:    Voy al cine el domingo.

**4.** P: _____

     R:    Voy a la escuela el lunes.

**5.** P: _____

     R:    La escuela es grande.

Activity D continues on page 57.

**6.** P: _____

R: Mi animal favorito es el gato.

**7.** P: _____

R: El gato es gris, blanco y marrón oscuro.

**8.** P: _____

R: Mi número de teléfono es el tres, veinte, quince, cero, uno.

# Think Fast! ∿∿∿∿∿∿∿∿∿∿∿∿∿∿∿∿∿∿∿∿∿∿∿

**1.** Name three classroom objects you can hold in your hand.

_____ 　　 _____ 　　 _____

**2.** Write a number from 1 to 4 next to each animal.  Rank the animals from the smallest (1) to the largest (4).

_____ conejo 　 _____ mariposa 　 _____ tigre 　 _____ pez

**3.** Write the names of five animals that can fly.

_____ 　　 _____

_____ 　　 _____

_____

**4.** Name two classroom objects you can put in your pocket.

_____ 　　 _____

**5.** Write an addition problem whose answer is your age.

_____ + _____ = _____

Nombre _____

E. Imagine that the local movie theater is taking a survey to find out about people who go to the movies. How do you answer the questions?

First, read the questions. Then write answers that are true for you. Try to write complete sentences.

## Cine Popular

1. ¿Cómo te llamas? _____

2. ¿Cuál es tu número de teléfono? _____

3. ¿Qué día es hoy? _____

4. ¿Vas al cine hoy? _____

5. ¿Vas al cine esta semana? _____

6. ¿Vas al cine la próxima semana? _____

   _____

7. ¿Vas al cine los fines de semana? _____

   _____

8. Generalmente, ¿qué día de la semana vas al cine? _____

   _____

9. ¿Vas al cine con un amigo o con una amiga? _____

   _____

10. ¿Cómo se llama tu amigo o tu amiga? _____

    _____

# ¡Aprende el vocabulario!

A. Señor Olvida's typewriter is broken! None of the vowels will print. Help him fill in the missing letters on the labels beside each picture.

First, look at the picture. Then, fill in the missing letters. One word has been done for you.

**1.**

___**u**__ s __**a**__ r   l ___

c ___ m p ___ t ___ d ___ r___

**2.**

c ___ n t ___ r

**3.**

___ s t ___ d ___ ___ r

**4.**

p r ___ c t ___ c ___ r   l ___ s

d ___ p ___ r t ___ s

**5.**

p ___ n t ___ r

B. Where is Amalia going today?

First, look at the picture. Find the name of the class or place and write it on the lines beside the picture. Follow the model. (Be alert! There are more places than pictures.)

---

la clase de música                    el cine

la clase de computadoras              la clase de arte

la biblioteca                    ✓ la escuela

el gimnasio                           la casa

---

M           la escuela          3.           _____

_____                                                          _____

1.           _____          4.           _____

_____                                                          _____

2.           _____          5.           _____

_____                                                          _____

C.  Gregorio has written a paragraph about school.  When he didn't know a word,
he drew a picture.  Help him write the words.

First, read the paragraph and look at the numbers and pictures.
Then, on the lines below, write the words for the pictures.  The first
one has been done for you.

Los lunes, los miércoles y los viernes voy a   (**1**)

Voy a  (**2**)     .   El martes voy al gimnasio para

(**3**)     .   El jueves voy a  (**4**)     en

(**5**)   .   También voy a cantar en  (**6**)   .

1.  **la biblioteca** _____     4. _____

2. _____     5. _____

3. _____     6. _____

# ¡Vamos a practicar!

A. David's friends want to know what they are scheduled to do this afternoon. How does David answer their questions?

First, look at the picture and read each question. Then, write the answer below it. Follow the model.

M

¿Qué voy a hacer?

**Vas a pintar.** _____

1.

¿Qué va a hacer Marina?

_____

2.

¿Qué voy a hacer?

_____

3.

David, ¿qué vas a hacer?

_____

4.

¿Qué voy a hacer?

_____

B. All day long Hortensia has been passing you notes in class.  What do you write her?

First, read the question.  Then, write your answer on the blank.
Follow the model.

M  ¿Qué vas a hacer en el gimnasio?

**Voy a practicar los deportes.**

1. ¿Qué vas a hacer en la biblioteca?

   _____

2. ¿Qué vas a hacer en la clase de arte?

   _____

3. ¿Qué vas a hacer en la clase de computadoras?

   _____

4. ¿Qué vas a hacer en la clase de música?

   _____

## Think Fast! ∼∼∼∼∼∼∼∼∼∼∼∼∼∼∼∼∼∼∼∼∼∼∼

First, read and complete each sentence.  Then complete the secret sentence with the letters you have written in the circles.

1. Hoy es miércoles.  Mañana es ☐ ☐ ☐ ◯ ☐ ☐ .

2. La ☐ ◯ ☐ ☐ ☐ ☐ ☐ ☐ es un animal pequeño

   de muchos colores.

3. El muchacho ◯ ☐ llama Alberto.

   ¡ _____ _____ _____ a estudiar mucho!

C. Now Hortensia has written you a note about what she and her friend are going to do on Saturday. She wrote it so quickly that she forgot some words!

First, read Hortensia's note. Then, fill in the blanks with the appropriate form of **ir a**. Follow the model.

¡Hola!

El sábado M _____ **voy a** _____ ir al cine. Mi amiga Olga

(1) _____ ir al cine también.

Olga (2) _____ estudiar el sábado. ¡Qué latosa!

El sábado no (3) _____ estudiar. No

(4) _____ ir a la biblioteca.

¿Qué (5) _____ hacer el sábado?

(6) ¿_____ ir al cine con unos amigos?

¡Hasta luego!

Hortensia

# ¡Vamos a practicar! ████████████████████

A. Little Paquito doesn't understand what you do in school. How do you answer his questions?

First, read the question. Then, write your answer. Follow the model.

**M** ¿Cantas en la clase de arte?

    **No, no canto en la clase de arte.**
_____

**1.** ¿Qué haces en la clase de arte?

_____

**2.** ¿Practicas los deportes en la biblioteca?

_____

**3.** ¿Qué haces en la biblioteca?

_____

**4.** ¿Usas la computadora en la clase de música?

_____

**5.** ¿Qué haces en la clase de música?

_____

B. Imagine that you took a picture of señora Jiménez's study group.  Now you must write captions for the picture.

First, read the question.  Then, look at the picture and write the answer.  Follow the model.

| | | |
|---|---|---|
| **M** | ¿Qué hace Óscar? | **Óscar canta.** _____ |
| **1.** | ¿Qué hace Julio? | _____ |
| **2.** | ¿Qué hace Elena? | _____ |
| **3.** | ¿Qué hace Rosita? | _____ |
| **4.** | ¿Qué hace Carlos? | _____ |

C. Alicia needs to practice asking questions.  She wants to be a reporter someday.

First, read the words to form the question.  Then, read the answer. Follow the model.

M    P:   Eduardo / estudiar /dónde

           **¿Dónde estudia Eduardo?**
_____

      R:   Eduardo estudia en el salón de clase.


1.   P:   Nélida / cantar / cuándo

_____

      R:   Nélida canta los domingos.


2.   P:   el señor López / pintar /dónde

_____

      R:   El señor López pinta en la casa.


3.   P:   Minerva / la computadora / usar / cuándo

_____

      R:   Minerva usa la computadora los lunes.


4.   P:   la señora Ruiz / los deportes / practicar / dónde

_____

      R:   La señora Ruiz practica los deportes en el gimnasio.

D. Señor Rodríguez thinks that everyone has a special talent. How will you fill out his questionnaire?

First, read the question. Then, write an answer that is true for you. Follow the model.

M   ¿Practicas los deportes en la escuela?

   **Sí, practico los deportes en la escuela.**
   _____

1. ¿Practicas los deportes los fines de semana?

   _____

2. ¿Estudias mucho en la casa?

   _____

3. ¿Estudias con un amigo o con una amiga?

   _____

4. ¿Usas una computadora?  ¿Dónde?

   _____

5. ¿Cantas muy bien o cantas muy mal?

   _____

6. ¿Cantas con un amigo o con una amiga?

   _____

7. ¿Pintas en la escuela?

   _____

8. ¿Pintas los fines de semana?

   _____

¡Aprende más!

Using a dictionary or glossary is helpful when you can't figure out the meaning of a word. However, many times you can guess the meaning.

Some words in Spanish are similar to words in English. These words are called **cognates**. Usually, cognates are words that come from the same language. For example, many words in Spanish and English come from Latin, which was spoken by the ancient Romans. Look at the examples below.

| **Latin** | **English** | **Spanish** |
|-----------|-------------|-------------|
| musica | music | música |
| studere | study | estudiar |

You can often guess the meanings of cognates from the way they are spelled or the way they sound. Read the sentences below and circle the words that are cognates of words in English. Then write the English words in the blanks.

1. El oso polar es blanco y grande.

_____

2. La violeta es una flor morada.

_____

3. La computadora pequeña es moderna.

_____

4. La clase de historia es interesante.

_____

# La página de diversiones

## Un crucigrama

First, read the sentences and fill in the missing words. Then, write the words in the crossword puzzle.

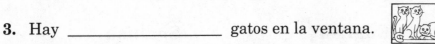

1. Uso _____ computadoras.

2. Voy a pintar _____ mariposas.

3. Hay _____ gatos en la ventana.

4. Uso _____ lápices cuando estudio.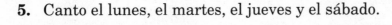

5. Canto el lunes, el martes, el jueves y el sábado.

   Canto _____ días.

6. Diez y seis más _____ son veinte y dos.

7. Hay dos tigres en mi casa. Hay uno en la ventana y hay _____ en el escritorio.

8. Voy a estudiar _____ libros.

9. Hay _____ banderas.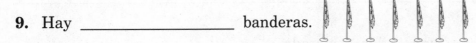

10. Hay _____ peces.

# ¡Aprende el vocabulario!

A. When the seasons change, the weather can be different each day of the week!

Primero, mira el calendario.  Luego, contesta la pregunta.  Sigue el modelo.

| lunes | martes | miércoles | jueves | viernes | sábado | domingo |
|---|---|---|---|---|---|---|
| Está nublado. | Hace sol. | Llueve. | Hace viento. | Nieva. | Hace calor. | Hace frío. |

**Modelo:**  ¿Qué tiempo hace el domingo?

**Hace frío.**

_____

1.  ¿Qué tiempo hace el miércoles?

_____

2.  ¿Qué tiempo hace el sábado?

_____

3.  ¿Qué tiempo hace el lunes?

_____

4.  ¿Qué tiempo hace el viernes?

_____

5.  ¿Qué tiempo hace el martes?

_____

6.  ¿Qué tiempo hace el jueves?

_____

B. What kinds of weather occur in each season?  Using colored pencils or crayons, draw a line from the season to the weather that happens in that season.  You may draw more than one line from a season to its weather.  Look at the list and use the appropriate color for each season.

Primero, mira los dibujos y lee las palabras.  Luego, dibuja una línea de la estación al dibujo apropiado.  Usa el color correcto para cada estación.

| | |
|---|---|
| la primavera = verde | el verano = anaranjado |
| el invierno = negro | el otoño = rojo |

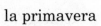
la primavera

el invierno

el verano

el otoño

C.  Put your thoughts into writing!  Look at the lines you drew for exercise B.  Answer each question below by naming the kinds of weather you connected to the season.

Mira tus respuestas del ejercicio B.  Primero, lee las preguntas.
Luego, escribe las respuestas.  Sigue el modelo.

**Modelo:**   ¿Qué tiempo hace en el verano?

**En el verano hace sol y hace calor.**
_____

**1.**  ¿Qué tiempo hace en el otoño?

_____

_____

**2.**  ¿Qué tiempo hace en el invierno?

_____

_____

**3.**  ¿Qué tiempo hace en la primavera?

_____

_____

**4.**  ¿Qué tiempo hace en el verano?

_____

_____

D.  Some people like warm, sunny days.  Other people like windy, rainy days.  What
    do you think of as good weather and bad weather?  Under the column **Buen
    tiempo**, write the kinds of weather you like.  Under the column **Mal tiempo**, write
    the kinds of weather you do not like.

    Primero, lee las palabras.  Luego, escribe las palabras en las
    columnas apropiadas.

| **Buen tiempo** | **Mal tiempo** |
|---|---|
| _____ | _____ |
| _____ | _____ |
| _____ | _____ |
| _____ | _____ |

| | | |
|---|---|---|
| Hace frío. | Hace calor. | Nieva. |
| Hace sol. | Hace viento. | Está nublado. |
| Llueve. | Hace fresco. | |

C.  You finished your interview with Alberto Suárez.  Now it's time to write the story for the newspaper.  (Read the answers to exercise B before you write the story for the newspaper.) .

Primero, lee las oraciones.  Luego, completa cada oración.  Sigue el modelo.

## El alumno de la semana:
### Alberto Suárez

El alumno de la semana se llama Alberto Suárez.  Es alumno de la escuela

Bolívar.  La estación favorita de Alberto es el verano.  A Alberto

**le gusta mucho el verano**
_____ .  Alberto no pinta bien.  No

_____ .

El gimnasio es muy grande.  Alberto practica los deportes todos los días.  A

Alberto _____ .

Alberto no estudia mucho.  No _____ .

Pero sí _____ .  Canta mucho.

D. Imagine that you have been chosen student of the week. What would a story about you be like? Luckily, you can write your own story!

Escribe ocho oraciones. Escribe cuatro con **me gusta** y escribe cuatro con **no me gusta**. Luego, haz un dibujo.

### El alumno de la semana:

_____

(tu nombre)

_____

_____

_____

_____

_____

_____

_____

¡Aprende **más**!

Glossaries and dictionaries give you more information about words than just a definition.  Sometimes that information is abbreviated.  Look at the following abbreviations in English.  (These are the same abbreviations that appear on page 334 of your textbook.)

| | | | |
|---|---|---|---|
| *adj.* | adjective | *inf.* | infinitive |
| *adv.* | adverb | *m.* | masculine |
| *com.* | command | *pl.* | plural |
| *f.* | feminine | *s.* | singular |

Use the Spanish – English Glossary in your textbook to answer the following questions:

1.  Is the word **mira** an adjective, an adverb, or a command?        _____

2.  On what page do you find the entry for **mira**?        _____

3.  How many abbreviations follow the word **mira**?        _____

4.  What are the abbreviations after **mira**?        _____

5.  On page 347, find an adverb (*adv.*).        _____

6.  What does the adverb on page 347 mean?        _____

7.  What are the abbreviations after the entry **escribe**?        _____

8.  If the exercise instructions say **escribe**, what do you do?        _____

9.  What abbreviation follows the word **oración**?        _____

10.  What word do you use to mean more than one **oración**?        _____

Nombre _____

# La página de diversiones ●◆.:⊙◆::●◆:"◆◆::

## Busca las palabras

Read each sentence. Look in the puzzle for the word or words in heavy **black** letters. Each word may appear across or down in the puzzle. When you find the word, circle it. One has been done for you.

1. **Voy** a la escuela en el **otoño**.
2. A veces **llueve** en la **primavera**.
3. ¿Qué **tiempo** hace en el **invierno**?
4. Hace **viento** y **hace** mucho **frío**.
5. ¿Siempre hace **sol** en el **verano**?
6. ¿Está **nevando hoy**?
7. Hace **calor** en el verano.

| | | | | | | | | | |
|---|---|---|---|---|---|---|---|---|---|
| O | T | O | Ñ | O | S | H | B | T | P |
| N | U | V | I | E | N | T | O | O | R |
| E | R | B | S | C | C | H | I | V | I |
| V | L | E | F | H | A | C | E | E | M |
| A | L | S | R | O | L | V | O | R | A |
| N | U | O | Í | P | O | O | R | A | V |
| D | E | H | O | Y | R | Y | T | N | E |
| O | V | Y | T | I | E | M | P | O | R |
| Ñ | E | C | X | V | S | O | L | Ñ | A |
| I | N | V | I | E | R | N | O | Y | T |

Nombre _____

# ¡Aprende el vocabulario!

A. Marcos is proud of himself! He has spelled all the months of the year correctly! Now help him put the months in the correct order. Marcos has already done the first one for you.

Primero, lee los meses. Luego, escribe los meses en el orden correcto.

| | | | |
|---|---|---|---|
| marzo | agosto | febrero | octubre |
| noviembre | mayo | julio | abril |
| √ enero | septiembre | diciembre | junio |

1. __enero__      5. _____      9. _____

2. _____      6. _____      10. _____

3. _____      7. _____      11. _____

4. _____      8. _____      12. _____

B. Now Marcos wants to write about what he likes and doesn't like to do during certain months. Unfortunately, he scrambled all the letters!

Primero, lee la oración. Luego, pon las letras en orden. Por último, escribe la palabra. Sigue el modelo.

**Modelo:** Me gusta ____**pintar**____ en abril.
            ratnip

1. Me gusta _____
            minarca

   en junio.

2. No me gusta _____
            rabail

   en octubre.

3. Me gusta _____
            artinpa

   en enero.

4. No me gusta _____
            darna

   en marzo.

C. Susana is showing you pictures of her friends. What is the date? What is each friend doing?

Primero, mira el dibujo. Luego, completa la primera oración con el mes. Completa la segunda oración con una actividad. Sigue el modelo.

**Modelo:**

Es el diez y siete de _____marzo_____.

Adela _____estudia_____.

1.

Es el veinte de _____.

Alberto _____.

2.

Es el cinco de _____.

Lidia _____.

3.

Es el once de _____.

Marisol _____.

4.

Es el catorce de _____.

Daniel _____.

D. Señor Amable wants to be sure that his park has something for everyone! First, he must find out what people like to do and when they like to do it. How will you fill out his questionnaire?

Primero, lee la pregunta. Luego, escribe la respuesta en tus palabras. Sigue el modelo.

---

### ¡Un parque para todos!

M  ¿Te gusta practicar los deportes?

**Sí, me gusta practicar los deportes.**

M  ¿Cuándo practicas los deportes?  (Siempre / A veces / Nunca)

**Siempre practico los deportes en julio y agosto.**

1.  ¿Te gusta patinar?

_____

2.  ¿Cuándo patinas?  (Siempre / A veces / Nunca)

_____

3.  ¿Te gusta nadar?

_____

4.  ¿Cuándo nadas?  (Siempre / A veces / Nunca)

_____

5.  ¿Te gusta caminar?

_____

6.  ¿Cuándo caminas?  (Siempre / A veces / Nunca)

_____

---

Nombre _____

# ¡Vamos a practicar!

A. At the Escuela Buenavista, both students and teachers like to keep busy. Who likes to do each activity? It's hard to tell unless you ask.

Primero, mira el dibujo y lee la pregunta. Luego, completa la respuesta con **yo, tú, él, ella** o **usted.** Sigue el modelo.

M  ¿Quién patina?

**Él**
_____
patina.

3.  ¿Quién camina?

_____
camina.

1.  ¿Quién baila?

_____
bailo.

4. ¿Quién canta?

_____
canta.

2.  ¿Quién nada?

_____
nadas.

5. ¿Quién estudia?

_____
estudia.

## ¡Alerta!

Fill in the missing letters in the sentence. Then write the letters in the blanks below by matching the numbers. You will discover the name of an ancient Mexican civilization that had its own calendar.

Me gu __ t __ much __ bai __ ar en m __ r __ o,
　　　1　2　　　3　　4　　　　5　6

__ ep __ iembre y o __ tubr __ .
7　8　　　　　9　　10

___ ___ ___ ___ ___ ___ ___ ___ ___ ___
4　3　7　2　6　8　10　9　5　1

B. Eduardo is introducing you to people at his school. What questions can you ask about them?

Primero, mira los dibujos y lee los nombres. Luego, escribe una pregunta sobre cada persona. Sigue el modelo.

Paula          Carlos          Luisa          José          Sra. Llanos          Elisa

M  (Luisa)          **¿Ella baila muy bien?** _____

1. (Elisa)          _____

2. (Carlos)          _____

3. (Sra. Llanos)          _____

4. (Paula)          _____

5. (José)          _____

C. How does Eduardo answer your questions?

Primero, lee el nombre y la pregunta del ejercicio B. Luego, mira el dibujo y contesta la pregunta. Sigue el modelo.

M  Paula                                        2.  Elisa

**Sí, ella patina muy bien.**
_____          _____

_____          _____

1.  Carlos                                       3.  Sra. Llanos

_____          _____

_____          _____

Nombre _____

D. Choose a partner. Then find out what your partner does at home. First, you must make up your questions. Then you must record your partner's answers.

Primero, escribe cinco preguntas. Luego, escoge a un compañero. Por último, haz las preguntas a tu compañero y escribe las respuestas. Lee el modelo.

**Modelo:** 1. **¿Usas tú la computadora en casa?** _____

TÚ: ¿Usas tú la computadora en casa?
ALUMNA: Sí, a veces yo uso la computadora.

1. **A veces ella usa la computadora.** _____

## Preguntas

1. _____
2. _____
3. _____
4. _____
5. _____

## Respuestas

1. _____
2. _____
3. _____
4. _____
5. _____

E. The Payasos are an unusual couple. Señor Payaso is sensible and a little dull. Señora Payaso is wild and sometimes quite silly. Imagine that you are a reporter who is interviewing the Payasos.

Primero, mira el dibujo y lee la pregunta. Luego, completa la pregunta y escribe una respuesta. Sigue los modelos.

[M] P: Señor Payaso, ¿quién patina en la casa,

_____**usted**_____ o _____**ella**_____ ?

R: **Ella patina en la casa. Yo nunca patino.**

[M] P: Señora Payaso, ¿quién canta en la biblioteca,

_____**usted**_____ o _____**él**_____ ?

R: **Él nunca canta. Yo canto en la biblioteca.**

1. P: Señor Payaso, ¿quién usa la computadora,

_____ o _____ ?

R: _____

2. P: Señora Payaso, ¿quién nada en enero,

_____ o _____ ?

R: _____

3. P: Señor Payaso, ¿quién baila en la mesa,

_____ o _____ ?

R: _____

Nombre _____

# ¡Vamos a practicar! ▮▮▮▮▮▮▮▮▮

A. Poor Francisca has the measles. To pass the time, she writes about where the people in school are going.

Primero, lee la oración. Luego, completa la oración con **a la** o **al**. Sigue el modelo.

M   Rosita va __al__ gimnasio.

**1.**  Sr. López va _____ escuela.

**2.**  Lupita va _____ cine.

**3.**  Diego va _____ salón de clase.

**4.**  Alberto va _____ biblioteca.

**5.**  Berta va _____ clase de arte.

**6.**  Jorge va _____ gimnasio.

B. Where do you walk on different days?

Primero, lee la pregunta. Luego, contesta la pregunta en tus palabras. Sigue el modelo.

M   ¿Adónde caminas hoy?

**Camino a la casa de un amigo.**
_____

**1.**  ¿Adónde caminas los sábados?

_____

**2.**  ¿Adónde caminas los lunes?

_____

**3.**  ¿Adónde caminas los viernes?

_____

**4.**  ¿Adónde caminas los miércoles?

_____

**5.**  ¿Adónde caminas hoy?

_____

¡Aprende más!

The names of the months in most of Europe and America all come from the calendar created in ancient Rome—the Julian calendar. The Julian calendar was not perfect, and so it was revised in the sixteenth century. The new, improved calendar was called the Gregorian calendar. Although the calendar was improved, the names of the months stayed the same.

The lists below are in five different languages: English, French, German, Italian, and Spanish. Study the lists and guess which language each list is in. Write the letter of the list on the blank beside the name of the language. (Two of them should be very easy for you!)

| a | b | c | d | e |
|---|---|---|---|---|
| janvier | Januar | enero | gennaio | January |
| février | Februar | febrero | febbraio | February |
| mars | März | marzo | marzo | March |
| avril | April | abril | aprile | April |
| mai | Mai | mayo | maggio | May |
| juin | Juni | junio | giugno | June |
| juillet | Juli | julio | luglio | July |
| août | August | agosto | agosto | August |
| septembre | September | septiembre | settembre | September |
| octobre | Oktober | octubre | ottobre | October |
| novembre | November | noviembre | nobembre | November |
| décembre | Dezember | diciembre | dicembre | December |

_____ English             _____ German             _____ Spanish

_____ French              _____ Italian

Nombre _____

# La página de diversiones ●◇.:⊙◆∷●◇:●◆⬚

### Una frase feliz

Complete each sentence with a word from the box. Then use the numbers to discover the secret phrase.

Lee las palabras en las listas. Busca la palabra que va con cada oración. Escribe cada letra en un espacio.

| año √ | octubre | nadar | patinar |
|-------|---------|-------|---------|
| gusta | voy | enero | agosto |

1. Doce meses son un <u> a </u> <u> ñ </u> <u> o </u> .
   <br>                                1     2     3

2. Me gusta ____ ____ ____ ____ ____ en el verano.
   <br>            4   5   6   7   8

3. Llueve y hace viento en ____ ____ ____ ____ ____ ____ ____ .
   <br>       9   10   11   12   13   14   15

4. En ____ ____ ____ ____ ____ nieva y hace frío.
   <br>   16   17   18   19   20

5. En ____ ____ ____ ____ ____ ____ hace sol y hace calor.
   <br>   21   22   23   24   25   26

6. No ____ ____ ____ a la escuela en el verano.
   <br>   27   28   29

7. A María le gusta ____ ____ ____ ____ ____ ____ ____ en febrero.
   <br>   30   31   32   33   34   35   36

8. A Natán le ____ ____ ____ ____ ____ bailar todos los meses.
   <br>   37   38   39   40   41

What do you say on New Year's Day?

¡ P <u> </u> <u> </u> <u> </u> <u> </u> <u> </u> <u> </u> <u> o </u> <u> </u> <u> ñ </u> <u> </u> <u> </u> <u> </u> <u> </u> <u> </u> !
<br>     8  23  39  30  16  36  3   7   2  28  17  38  15  27  9

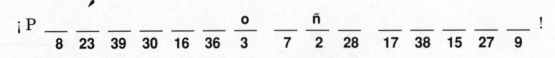

Nombre _____

A. The students in señora Lozano's class are daydreaming while they wait for the cafeteria line to move.

Primero, mira el dibujo. Luego, completa la oración. Sigue el modelo.

**Modelo:**   A Zoraida   _le gusta el verano._

1. A Alberto _____

2. A Rosita _____

3. A Juan _____

4. A Ramón _____

5. A Arsenio _____

B. You are participating in a survey of student likes and dislikes. Choose the answer that comes closest to how you feel.

Primero, lee las frases. Luego, escoge una frase y escribe una oración. Sigue el modelo.

> **Modelo:**  Me gusta. . .
>> a.  estudiar
>>
>> b.  pintar
>>
>> c.  cantar

**1.** Me gusta mucho. . .

    a.  el invierno

    b.  el otoño

    c.  la primavera

    ch.  el verano

**2.** No me gusta. . .

    a.  practicar los deportes

    b.  cantar

    c.  estudiar

    ch.  pintar

**3.** Me gusta. . .

    a.  ir al cine

    b.  ir a la biblioteca

    c.  ir a la escuela

    ch.  ir al gimnasio

**4.** No me gusta. . .

    a.  la clase de arte

    b.  la clase de música

    c.  el gimnasio

    ch.  la clase de computadoras

M    **Me gusta cantar.** _____

**1.** _____

**2.** _____

**3.** _____

**4.** _____

C. At summer camp, Elena Bosque is planning activities. First, she needs to know what people do.

Primero, lee la pregunta y la respuesta. Luego, escoge la palabra apropiada. Por último, subraya la palabra. Sigue el modelo.

M. ¿Quién camina mucho, tú o Alfredo?

(Yo, Él) camina mucho.

1. ¿Quién nada muy bien, el señor Guzmán o tú?

(Yo, Él) nado muy bien.

2. Señora Elías, ¿quién pinta muy bien, usted o Alicia?

(Yo, Ella) pinta muy bien.

3. Enrique, ¿quién camina mucho, tú o yo?

(Yo, Tú) caminas mucho.

4. ¿Quién canta muy bien, tú o Federico?

(Yo, Él) canta muy bien.

---

D. Now Elena wants to know what you do. What are her questions?

Primero, lee las palabras. Luego, forma una oración. Por último, escribe la oración. Lee el modelo.

M. ¿ / practicar / los deportes / ?

**¿Practicas los deportes?**

1. ¿ / caminar / mucho / ?

3. ¿ / cantar / muy / bien / ?

2. ¿ / pintar / muy / bien / ?

4. ¿ / bailar / mucho / ?

E. Little Paquito is very curious about Rita's after-school activities. How does Rita answer his questions?

Primero, lee el calendario. Luego, lee la pregunta. Por último, escribe la respuesta. Sigue los modelos.

| lunes | martes | miércoles | jueves | viernes |
|-------|--------|-----------|--------|---------|
| la clase de trompeta y estudiar | la casa de Ana y bailar | el gimnasio y practicar los deportes | la clase de trompeta y estudiar | el cine y caminar— la casa de Luis |

M ¿Adónde vas el jueves?

**Voy a la clase de trompeta.**

M ¿Qué vas a hacer el lunes?

**Voy a estudiar.**

1. ¿Adónde vas el viernes?

_____

2. ¿Qué vas a hacer el miércoles?

_____

3. ¿Adónde vas el martes?

_____

4. ¿Qué vas a hacer el jueves?

_____

5. ¿Adónde vas el miércoles?

_____

6. ¿Qué vas a hacer el viernes?

_____

F. You are curious about Rita's activities, too. How do you answer Paquito's questions? (Use the calendar on page 96 to check Rita's schedule.)

Primero, lee la pregunta y mira el calendario. Luego, escribe la respuesta. Sigue el modelo.

M  ¿Qué hace Rita el jueves?

**Va a la clase de trompeta y estudia.**
_____

1. ¿Qué hace Rita el viernes?

_____

2. ¿Qué hace Rita el lunes?

_____

3. ¿Qué hace Rita el miércoles?

_____

4. ¿Qué hace Rita el martes?

_____

# ¡Alerta! ~~~~~~~~~~~~~~~~~~~~~~~~~~~~~~~~~~~~~~~~~~~~~~~~~~~~

The pet shop is about to close. Make a decision about which animal you like better.

¿Cuál te gusta, la tortuga grande o la tortuga pequeña?

_____

¿Cuál te gusta, el lagarto largo o el lagarto corto?

_____

G. How well do you know yourself? How well do you know your classmate? Take the following quiz. First answer according to what you like. Then answer according to what you think your classmate likes. Compare answers with your classmate to find out if you were right.

Primero, lee y contesta las preguntas. Luego, lee y contesta las preguntas para tu compañero o compañera. Lee el modelo.

**Modelo:**      ¿Cuál bolígrafo te gusta?

**Me gusta el largo.  Le gusta**
_____
**el corto.  [Le gusta el largo.]**
_____

**1.**  ¿Cuál gato te gusta?

_____
_____
_____

**3.**  ¿Cuál mariposa te gusta?

_____
_____
_____

**2.**  ¿Cuál casa te gusta?

_____
_____
_____

**4.**  ¿Cuál loro te gusta?

_____
_____
_____

# ¡Aprende el vocabulario!

A.  Ignacio is having a hard day.  What does he say?  (Be careful!  There are more pictures than sentences.)

Primero, lee la oración.  Luego, busca el dibujo que va con la oración. Por último, dibuja una línea de la oración al dibujo apropiado.

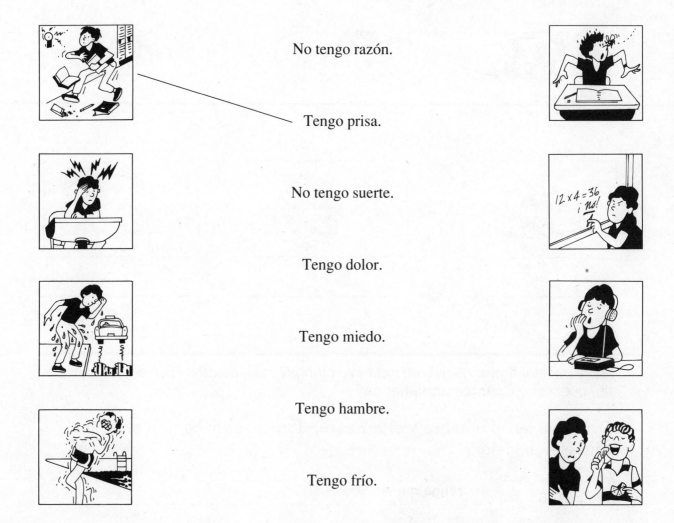

No tengo razón.

Tengo prisa.

No tengo suerte.

Tengo dolor.

Tengo miedo.

Tengo hambre.

Tengo frío.

B.  Try this guessing game.  What do the pictures remind you of?

Primero, mira el dibujo.  Luego, contesta la pregunta **¿Qué tienes?**
Sigue el modelo.

M

**Tengo sed.**
_____

2.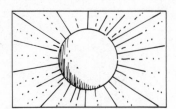

_____

4.

_____

1.

_____

3.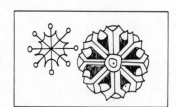

_____

5.

_____

C.  Many people in your neighborhood have birthdays this month.  How do they answer
the question **¿Cuántos años tienes?**

Primero, lee el nombre y el número.  Luego, escribe una oración.
Sigue el modelo.

M  Adela / 15        **Tengo quince años.**
_____

1.  Fernando / 6    _____

2.  Luisa / 22      _____

3.  Rosita / 3      _____

4.  Manuel / 13     _____

# ¡Vamos a practicar!

**A.** You are about to meet Samuel's family.  What pronoun will you use with each person, **tú** or **usted**?

Primero, mira el dibujo.  Luego, subraya **tú** o **usted**.  Sigue el modelo.

| | | |
|---|---|---|
| Ⓜ   tú　<u>usted</u> | 2.   tú　usted | 4.   tú　usted |
| 1.   tú　usted | 3.   tú　usted | 5.   tú　usted |

---

**B.**  It's Talent Night at the community center.  What a talented group of people!

Primero, lee la oración y la palabra entre paréntesis.  Luego, completa la oración.  Sigue el modelo.

Ⓜ Señorita Vásquez, __**usted canta**_____ muy bien.  (cantar)

**1.** Martín, _____ muy bien.  (bailar)

**2.** Josefina, _____ muy bien.  (pintar)

**3.** Señor Suárez, _____ muy bien.  (cantar)

**4.** Señora Calvo, _____ muy bien.  (patinar)

**5.** Vicente, _____ los deportes muy bien.  (practicar)

**6.** Señorita Martínez, _____ muy bien.  (nadar)

---

C. Beatriz has interviewed many people at her school You have found her notes. What questions did she ask?

Primero, lee la oración. Luego, escribe una pregunta. Sigue el modelo.

M La señora Trillo patina mucho.

**¿Patina usted mucho?**
_____

1. Estela camina mucho los sábados.

_____

2. Ricardo usa la computadora en la biblioteca.

_____

3. El señor Perales nada todos los días.

_____

4. La señorita Ojeda va al gimnasio los viernes.

_____

5. Gilberto no practica los deportes.

_____


# ¡Alerta! ~~~~~~~~~~~~~~~~~~~~~~~~~~

What would you say if you found a pot of gold? Follow the arrows and write the words in the blanks.

**¿Qué tienes tú?**

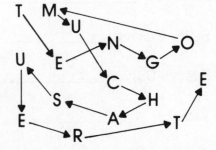

¡ ___ ___ ___ ___ ___ ___

___ ___ ___ ___ ___ ___

___ ___ ___ ___ ___ ___ !

## ¡Vamos a practicar!

A.  Señor Montalvo's class held a rummage sale.  What did everyone buy?

Primero, lee y completa la pregunta.  Luego, mira el dibujo y lee la respuesta.  Por último, completa la respuesta.  Usa **tengo, tienes** o **tiene**.  Sigue el modelo.

M   P:  ¿Qué _____**tiene**_____ Alberto?

    R:  Él _____**tiene**_____ un oso negro.

1.  P:  Señor Montalvo, ¿qué _____ usted?

    R:  Yo _____ un globo grande.

2.  P:  Elisa, ¿qué _____ tú?

    R:  Yo _____ un loro.

3.  P:  ¿Qué _____ Verónica?

    R:  Ella _____ un calendario.

4.  P:  Daniel, ¿qué _____ tú?

    R:  Yo _____ un mapa.

5.  P:  Señora Vega, ¿qué _____ usted?

    R:  Yo _____ unos peces.

6.  P:  ¿Qué _____ Rafael?

    R:  Él _____ unos libros.

B. What would you ask a friend in each situation?

Primero, lee las oraciones.  Luego, lee la palabra entre paréntesis y escribe una pregunta con **tener**.  Sigue el modelo.

M  No estoy bien.  Estoy muy mal.

(la gripe)    **¿Tienes la gripe?** _____

**1.** Es enero.  Hace viento y está nevando.

(frío) _____

**2.** Es julio.  Hace mucho sol.

(calor) _____

**3.** Es una noche oscura.  Camino a la casa.

(miedo) _____

**4.** Estoy mal.  No voy a la escuela.

(dolor) _____

C.  How would you answer the questions you wrote in exercise B?  Imagine that you are answering for your friend and for yourself.

Primero, lee las preguntas del ejercicio B.  Luego, escribe dos oraciones.  Sigue el modelo.

M    **Mi amigo (Mi amiga) tiene la gripe.  Yo tengo la gripe.**

**1.** _____

**2.** _____

**3.** _____

**4.** _____

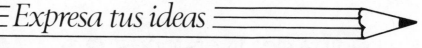

*Expresa tus ideas*

The Explorers' Club visited the Tropical World exhibit at the zoo. Señorita Aventura took a picture of the members. It's your job to write a story for the club newspaper.

Mira el dibujo. Escribe por lo menos cinco oraciones sobre el dibujo. Primero, lee las listas de palabras.

| hay | calor | hambre | grande |
| hace | dolor | sueño | muchachos |
| tener | sed | miedo | muchachas |

_____

_____

_____

_____

_____

_____

_____

_____

_____

 Nombre ____________________

# La página de diversiones

## Una nota secreta

Patricia has passed you a note in class. Break the secret code to find out what she is saying. (Circle the letters in the note to form words.)

Dibuja un círculo alrededor de las letras en la nota para formar palabras. Escribe cada letra en orden. (Clave: Cuenta por cuatro.)

| | | | | | | | | | | | |
|---|---|---|---|---|---|---|---|---|---|---|---|
| T | I | J | K | E | I | J | K | N | I | J | K |
| G | I | J | K | O | I | J | K | M | I | J | K |
| U | I | J | K | C | I | J | K | H | I | J | K |
| A | I | J | K | H | I | J | K | A | I | J | K |
| M | I | J | K | B | I | J | K | R | I | J | K |
| E | I | J | K | | | | | | | | |

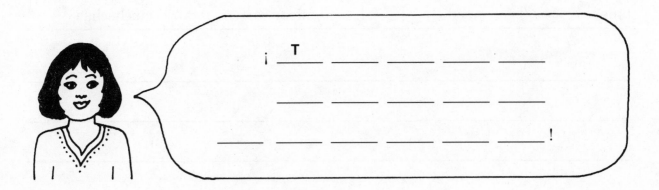

¡ T____ ____ ____ ____ ____

____ ____ ____ ____ ____

____ ____ ____ ____ ____ ____!

# ¡Aprende el vocabulario!

A. Mariquita is impatient. Fifteen minutes seem like an hour to her. Show her on the clocks when you will do different activities.

Primero, lee la oración. Luego, colorea el reloj según el tiempo en la oración. Sigue el modelo.

**M** Voy a la escuela en media hora.

1. Voy a estudiar en dos horas.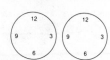

2. Voy a bailar en un cuarto de hora.

3. Voy a usar la computadora en una hora.

4. Voy a la casa en media hora.

5. Voy a caminar en una hora y cuarto.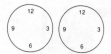

6. Voy al gimnasio en una hora y media.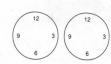

B.   Now try to explain to Mariquita how many minutes there are in different periods
of time.

Primero, lee la oración.  Luego, completa la oración.  Sigue el modelo.

M   Hay 120 minutos en   **dos horas**
_____.

1.   Hay 90 minutos en   _____.

2.   Hay 15 minutos en   _____.

3.   Hay 60 minutos en   _____.

C.   How observant are you?  Look at the pictures and decide at what time of day the
activities take place.

Primero, mira el dibujo y lee la lista de palabras.  Luego, escribe una
oración.  Sigue el modelo.

el mediodía          la salida del sol          la medianoche          la puesta del sol

M

**Es la**

**medianoche.**

2.

_____

_____

4.

_____

_____

1.

_____

_____

3.

_____

_____

5.

_____

_____

# ¡Vamos a practicar!

A. Hortensia has made a chart to teach her brother how to tell time.  Help her finish the chart.  (Careful!  There are too many clocks!)

Primero, lee la oración y mira los relojes.  Luego, dibuja una línea de la oración al reloj apropiado.  Sigue el modelo.

M  Son las ocho en punto.

1.  Son las cuatro y cinco.

2.  Es la una en punto.

3.  Son las siete y cuarto.

4.  Son las tres y media.

B.  Victoria should have changed the battery in her watch.  It's running five minutes slow.  Tell her the true time.

Primero, mira el reloj.  Luego, añade cinco minutos a la hora en el reloj.  Por último, escribe una oración.  Sigue el modelo.

  **Son las tres**

_____

**y cinco.**

_____

3.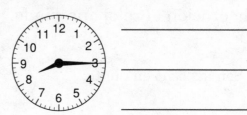

_____

_____

_____

1.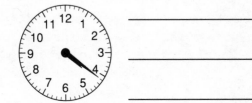

_____

_____

_____

4.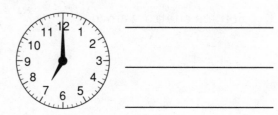

_____

_____

_____

2.

_____

_____

_____

5.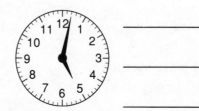

_____

_____

_____

# ¡Alerta! ∿∿∿∿∿∿∿∿∿∿∿∿∿∿∿∿∿∿∿∿∿∿∿

Ricky wants you to go to the movies with him.  Decode his message by unscrambling the letters and writing the words on the lines.

¿A  _____  _____  _____  al  _____  ?
     éuq        aohr       avs          enic

Voy a  _____  _____  _____  _____  .
       lsa      occni      ne      unpto

C.  Estela is performing a scientific experiment this Saturday.  Every time one of her canaries walks across the cage to ring a bell, she records the time.  You have offered to be her assistant from 7:00 a.m until 11:00 p.m.

Primero, lee la oración y la pregunta.  Luego, mira el reloj y contesta la pregunta.  Usa **de la mañana**, **de la tarde** o **de la noche** en tu respuesta.  Sigue el modelo.

M  `8:06`  Ahora camina Albertina.  ¿Qué hora es?

**Son las ocho y seis de la mañana.**

1.  `9:07`  Ahora camina Robertico.  ¿Qué hora es?

_____

2.  `11:02`  Ahora camina Julieta.  ¿Qué hora es?

_____

3.  `1:00`  Ahora camina Albertina.  ¿Qué hora es?

_____

4.  `6:14`  Ahora camina Julieta.  ¿Qué hora es?

_____

5.  `10:16`  Ahora camina Robertico.  ¿Qué hora es?

_____

# ¡Vamos a practicar!

A.  Gregorio is telling you about his day.  What time does he do different things?
    Match the clocks to his statements.

Primero, lee la oración.  Luego, mira los relojes.  Por último, escribe
el número del reloj que va con la oración.  Sigue el modelo.

1.    2.    3.    4.    5.

_____3_____   M   Camino a la escuela a las nueve menos diez.

_____   a.  Voy a la clase de arte a las once menos quince.

_____   b.  Voy al gimnasio a las doce menos veinte y cinco.

_____   c.  Camino a la casa a la una menos cinco.

_____   ch. Estudio a las tres menos cinco.

---

B.  What questions can you ask Gregorio?  Match the following questions with his
    statements in exercise A.

Primero, lee la pregunta.  Luego, busca la letra de la respuesta
en el ejercicio A.  Escribe la letra de la respuesta.  Sigue el modelo.

_____M_____   M   ¿A qué hora caminas a la escuela?

_____   1.  ¿Cuándo vas a la clase de arte?

_____   2.  ¿Cuándo caminas a la casa?

_____   3.  ¿A qué hora estudias?

_____   4.  ¿A qué hora vas al gimnasio?

C.  Señor Fonseca wants to keep track of everyone's activities.  How do his sons and daughters answer his questions?

Primero, lee la pregunta.  Luego, mira el reloj y completa la respuesta.  Sigue el modelo.

M  P:   Felipe, ¿cuándo vas a estudiar?

|3:40|

R:   Voy a estudiar _____ **a las cuatro menos veinte.** _____

1.  P:   Esperanza, ¿cuándo vas a cantar?

|4:45|

R:   Voy a cantar _____

2.  P:   Raimundo, ¿a qué hora vas al cine?

|7:50|

R:   Voy al cine _____

3.  P:   Carmen, ¿a qué hora vas a la biblioteca?

|11:35|

R:   Voy a la biblioteca _____

4.  P:   María, ¿cuándo usas la computadora?

|12:51|

R:   Uso la computadora _____

5.  P:   Víctor, ¿a qué hora caminas al gimnasio?

|9:40|

R:   Camino al gimnasio _____

D.  Bárbara and Berta are best friends.  On Saturday, they like to spend a lot of time together.  They even made a schedule of their activities.

Primero, lee la pregunta.  Luego, lee el horario y contesta la pregunta.  Sigue el modelo.

| **Bárbara** | **Berta** |
|---|---|
| 8:40 / la clase de arte | 9:30 / la casa |
| 9:38 / la casa de Berta | 11:00 / la casa de Bárbara |
| 11:00 / la casa | 1:20 / la clase de computadoras |
| 3:40 / la biblioteca | 3:35 / la biblioteca |

M  ¿A qué hora va Bárbara a la clase de arte?

**Va a la clase de arte a las nueve menos veinte.**
_____

1.  ¿Cuándo va Berta a la casa de Bárbara?

_____

2.  ¿Cuándo va Bárbara a la casa de Berta?

_____

3.  ¿A qué hora va Berta a la clase de computadoras?

_____

4.  ¿A qué hora va Berta a la biblioteca?

_____

5.  ¿Cuándo camina Bárbara a la biblioteca?

_____

Nombre _____

# ¡Vamos a practicar! █████████████

A. Esteban dropped his note cards and got them all mixed up. Help him match the questions with the answers.

Primero, lee las preguntas y las respuestas. Luego, escoge la respuesta que va con cada pregunta. El número uno está hecho.

1. ¿Cómo te llamas?     ___ch___     a. Es Mariano Huerta.

2. ¿Adónde vas?     _____     b. Bailo a las seis y cuarto.

3. ¿Qué día es hoy?     _____     c. Hay cinco lápices.

4. ¿Qué es esto?     _____     ch. Me llamo Ana Gómez.

5. ¿Quién es?     _____     d. Voy al cine.

6. ¿Qué hora es?     _____     e. Es una pizarra.

7. ¿A qué hora bailas?     _____     f. Son las seis y cuarto.

8. ¿Cuántos lápices hay?     _____     g. Es miércoles.

# ¡Alerta! ∿∿∿∿∿∿∿∿∿∿∿∿∿∿∿∿∿∿∿∿∿∿∿∿

As fast as you can, answer the following questions:

1. ¿Cuál es tu número de teléfono?

_____

2. ¿Cuántos años tienes tú?

_____

B. Rita is interviewing a foreign exchange student.  Help her finish her questions.

Primero, lee las listas de palabras.  Luego, lee la pregunta y la respuesta.  Por último, completa la pregunta.  Sigue el modelo.

| Cuál | Adónde | Quién | Dónde |
|---|---|---|---|
| Cuándo | Cómo | Qué | A qué hora |

M    RITA:  ¿**Dónde** _____ estudias los lunes?
OSCAR:  Estudio en la biblioteca.

1.   RITA:  ¿_____ vas a la casa?
OSCAR:  Voy a la casa a las cuatro menos veinte.

2.   RITA:  ¿_____ haces los sábados?
OSCAR:  A veces voy al cine los sábados.

3.   RITA:  ¿_____ es tu animal favorito?
OSCAR:  Mi animal favorito es el elefante.

4.   RITA:  ¿_____ son los elefantes?
OSCAR:  Son del color gris.  Son muy grandes.

C. Write three statements about yourself.  Then write three questions you would ask a friend to find out the same information.

Primero, escribe tres oraciones.  Luego, escribe tres preguntas para un amigo.  Sigue el modelo.

| **Oraciones** | **Preguntas** |
|---|---|
| M   Tengo muchos amigos. | M   ¿Cuántos amigos tienes? |
| 1. _____ | 1. _____ |
| 2. _____ | 2. _____ |
| 3. _____ | 3. _____ |

¡Aprende  más!

In Spanish, as in English, there are more ways than one to state the time. Often Spanish-speaking people use the verb **faltar**, which means "to be lacking," to state the time before the hour. Occasionally, you will hear Spanish-speaking people who have lived in the United States adapt their language to the English form. Look at the clock below and read three ways you may hear people answer the question: **¿Qué hora es?**

1. Son las cinco menos veinte y cinco.
2. Faltan veinte y cinco minutos para las cinco.
3. Son las cuatro y treinta y cinco.

The first sentence follows the way you are learning. Spanish-speaking people all over the world will understand you if you use this pattern.

The second sentence uses the verb **faltar**. It is a way of saying "It's twenty-five to five."

The third sentence uses Spanish words with the English way of telling time. It's the same as saying, "It's four thirty-five."

Read the following examples. Then write the same time in the way you have learned.

1. Faltan veinte minutos para las diez.

2. Son las nueve y cuarenta.

3. _____

1. Faltan quince minutos para la una.

2. Son las doce y cuarenta y cinco.

3. _____

# La página de diversiones ●◆.:◎◆⊞●◇:"◉◆□

## ¿Quién tiene la pelota?

Detective Carlota Curiosa has been called to the Colegio Juárez to find out who took a soccer ball from the gymnasium. All she knows is that the ball was there on Tuesday at 1:00 p.m., but it was missing at 2:00 p.m. As a detective in training, you must read the testimony from the suspects and form your own conclusion!

Lee las preguntas y las respuestas. Decide quién tiene la pelota. Escribe el nombre de la persona.

Mario del Barrio

P: ¿A qué hora vas al gimnasio?

R: Siempre voy al gimnasio a las dos en punto. Tengo una clase a las dos.

Señor Olvida

P: ¿Cuándo va usted al gimnasio?

R: Voy al gimnasio a las dos menos veinte. Busco un globo. Mario practica los deportes con mis globos.

Susana Banda

P: ¿Qué haces a la una de la tarde?

R: Siempre voy a la clase de música a la una en punto. Voy al gimnasio a las nueve de la mañana.

Señora Rústica

P: ¿Cuándo va usted al gimnasio?

R: A veces voy al gimnasio a la una menos quince. Me gusta practicar los deportes. Los martes voy a la biblioteca.

¿Quién tiene la pelota?

_____ tiene la pelota.

Mira la página 120 para la solución.

# ¡Aprende el vocabulario!

A. Luis is comparing schedules with Marta. How does she answer his questions?

Primero, lee la pregunta. Luego, mira el dibujo y completa la respuesta. Sigue el modelo.

M ¿Adónde vas a las ocho de la mañana?

Voy a la clase de _____ciencias._____

1. ¿Adónde vas a las nueve menos diez?

Voy a la clase de _____

2. ¿Adónde vas a las diez menos veinte?

Voy a la clase de _____

3. ¿Adónde vas a la una y media de la tarde?

Voy a la clase de _____

4. ¿Adónde vas a las dos y veinte?

Voy a la clase de _____

B. Gabriela is interviewing her classmates to find out which classes students like best. How do they answer her questions?

Primero, lee las preguntas. Luego, lee las palabras entre paréntesis. Por último, escribe dos respuestas. Sigue el modelo.

M  P:  Raúl, ¿cuál es tu clase favorita? ¿Por qué?

   R:  (matemáticas / divertido)

   **Es la clase de matemáticas. Es divertida.**
   _____

1. P:  Juana, ¿cuál es tu clase favorita? ¿Por qué?

   R:  (historia / fácil)

   _____

2. P:  Jorge, ¿cuál es tu clase favorita? ¿Por qué?

   R:  (salud / fantástico)

   _____

3. P:  María, ¿cuál es tu clase favorita? ¿Por qué?

   R:  (ciencias / interesante)

   _____

4. P:  Gilberto, ¿cuál es tu clase favorita? ¿Por qué?

   R:  (español / importante)

   _____

Solución a **¿Quién tiene la pelota?** de la página 118.

**El señor Olvida**
_____ tiene la pelota.

C. Now Gabriela is interviewing you.

Primero, lee la pregunta.  Luego, escribe una respuesta en tus palabras.  Lee los modelos.

M  ¿Te gusta la clase de educación física?

**No, no me gusta la clase de educación física.**

M  ¿Por qué?

**La clase es aburrida y muy difícil.**

1.  ¿Te gusta la clase de ciencias?

_____

2.  ¿Por qué?

_____

3.  ¿Te gusta la clase de inglés?

_____

4.  ¿Por qué?

_____

5.  ¿Cuál es tu clase favorita?

_____

6.  ¿Por qué?

_____

# ¡Alerta! ~~~~~~~~~~~~~~~~~~~~~~~~~~~~~~~~~~

Unscramble the letters to find out what Josefina thinks of one of her classes.

¡La clase de _____ es _____ !
                    ihortisa                    rrudaabi

# ¡Vamos a practicar!

A.   Antonia loves pets and zoo animals.  Help her finish her list.

Primero, lee la oración.  Luego, subraya **gusta** o **gustan** para completar la oración.  Sigue el modelo.

**Modelo:**   Me ( gusta / <u>gustan</u> ) los perros.

**1.**  Me ( gusta / gustan ) el tigre.

**2.**  Me ( gusta / gustan ) los flamencos.

**3.**  Me ( gusta / gustan ) el pájaro.

**4.**  Me ( gusta / gustan ) los osos.

**5.**  Me ( gusta / gustan ) los loros.

**6.**  Me ( gusta / gustan ) los canarios.

**7.**  Me ( gusta / gustan ) las mariposas.

**8.**  Me ( gusta / gustan ) los conejos.

**9.**  Me ( gusta / gustan ) el pez.

**10.**  Me ( gusta / gustan ) el ratón.

---

B.   Francisco wants to play baseball all day.  He doesn't like to go to school.

Primero, lee la oración.  Luego, completa la oración con **gusta** o **gustan**.  Sigue el modelo.

**Modelo:**   No me _____gustan_____ los libros.

**1.**  No me _____ las clases.

**2.**  No me _____ el inglés.

**3.**  No me _____ las computadoras.

**4.**  No me _____ los pupitres.

**5.**  No me _____ la música.

**6.**  No me _____ el arte.

**7.**  No me _____ las ciencias.

**8.**  No me _____ el español.

**9.**  No me _____ la historia.

**10.**  No me _____ los lápices.

C.  Edmundo and Elvira are making T-shirts for their friends.  Each shirt will have a picture of something each friend likes or dislikes.  First, they need to discuss their friends' likes and dislikes.

Primero, lee la pregunta.  Luego, mira el dibujo y escribe la respuesta.  Sigue el modelo.

 **M**  ¿A Carlos le gusta el arte?

**Sí, a él le gusta el arte.** ____

_____

1.  ¿A Inés le gustan los libros?

 _____

_____

2.  ¿A Paco le gustan los osos?

_____

_____

3.  ¿A Javier le gusta el invierno?

_____

_____

4.  ¿A Norma le gustan las clases?

_____

_____

5.  ¿A Lola le gustan los muchachos?

_____

_____

## ¡Alerta! ～～～～～～～～～～～～～～～

First, answer the question below and then draw a design of what you like on the T-shirt.

A ti, ¿qué te gusta?

_____

_____

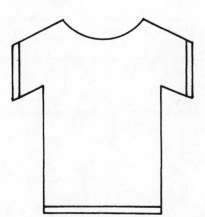

D.  Edmundo and Elvira are ready to give their friends the T-shirts.  Guess what each person likes or doesn't like.

Primero, mira el dibujo y lee el nombre.  Luego, escribe una oración.  Sigue el modelo.

**M**
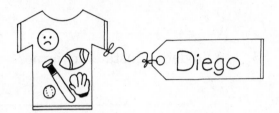

**A él no le gustan los deportes.**

_____

3.
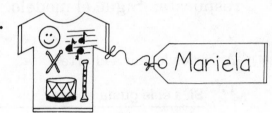

_____

_____

1.

_____

_____

4.
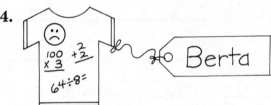

_____

_____

2.
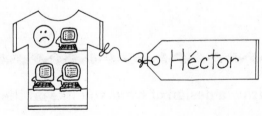

_____

_____

5.

_____

_____

# ¡Vamos a practicar! ████████████████

A. Señora Martínez has just given a demonstration of how to dance the cha-cha. To make sure that everyone understands, she asks a question. But nobody answers!

Primero, lee y completa la pregunta. Luego, escribe la respuesta con **sí** o **no**. Sigue el modelo.

M  Señor Luna, ¿ ____comprende____ usted la pregunta?

(No)  ___No, no comprendo la pregunta.___

1. Alicia, ¿ _____ tú la pregunta?

(Sí) _____

2. Rodrigo, ¿ _____ tú la pregunta?

(No) _____

3. Señorita del Valle, ¿ _____ usted la pregunta?

(No) _____

4. Señora Beltrán, ¿ _____ usted la pregunta?

(Sí) _____

---

B. Now make a list for señora Martínez.

Primero, lee el nombre y busca la respuesta en el ejercicio A. Luego, completa la oración. Sigue el modelo.

M  El señor Luna ___no comprende___ .　　3. La señorita del Valle _____

1. Alicia _____ .　　_____

2. Rodrigo _____ .　　4. La señora Beltrán _____ .

---

C.  Estela is taking a survey for social studies class.  She wants to find out if more people live in houses than in apartments.  Study her lists and help her write out her notes.

Primero, lee las listas.  Luego, completa una oración para cada persona.  Usa la forma apropiada de **vivir.**  Sigue el modelo.

| **Casa** | **Apartamento** |
|---|---|
| yo | tú |
| Adela | Horacio |
| señor Márquez | Mateo |
| | Margarita |

M  Mateo ___**vive en un apartamento.**_____

1.  Margarita _____

2.  Yo _____

3.  Adela _____

4.  Tú _____

5.  Horacio _____

6.  El señor Márquez _____

## ¡Alerta! ～～～～～～～～～～～～～～～～～～～～～～～

¿Dónde vives tú?  ¿Vives en una casa o en un apartamento?

_____

_____

D.  Imagine that you have written a letter to your pen pal in Venezuela.

    Primero, lee las oraciones.  Luego, completa cada oración con una forma de la palabra entre paréntesis.   Sigue el modelo.

---

                                                            11 de enero

¡Hola, Óscar!

    ¿Cómo estás?  Estoy muy bien.  ( **M** ) Yo ____**escribo**____ (escribir) esta carta en la casa.  (1) Yo _____ (aprender) el español en la escuela.

(2) ¿ _____ (aprender) tú el inglés?  (3) ¿ _____ (escribir) tú en inglés?  (4) Yo _____ (leer) mucho en la clase de inglés.  (5) Yo siempre _____ (comprender) las lecciones.

(6) Yo _____ (vivir) en una casa blanca.  (7) Mi amigo _____ (vivir) en un apartamento.  (8) ¿ _____ (vivir) tú en una casa o en un apartamento?

                                           ¡Hasta pronto!

                                         _____

                                         (tu nombre)

---

# ¡Alerta!

Conecta la primera parte de la oración a la segunda parte.

Un pájaro vive en                               el agua.

Un perro doméstico vive en              un árbol.

Un pez vive en                               una casa.

E.　You have been selected to appear with other "super-brains" on the game show "Los super-cerebros." Each contestant is given a situation and uses the clues to state what the subject does in that situation. Good luck!

Primero, lee las oraciones y las palabras entre paréntesis. Luego, escribe una oración en tus palabras. Sigue el modelo.

**Modelo:**　La profesora escribe una pregunta en la pizarra.
(El alumno / leer)

**El alumno lee la pregunta.**

1.　Un compañero de clase tiene un número de teléfono. Tú tienes un cuaderno y un lápiz. (Yo / escribir)

_____

2.　Hace mucho calor en la casa. Juanita tiene mucho calor. (Ella / abrir)

_____

3.　Enrique va a la biblioteca. Hay un libro interesante. (Él / leer)

_____

4.　La señora Molina tiene una casa pequeña. Ella camina a la casa todos los días. (Ella / vivir)

_____

5.　Tú lees la lección de historia. Escribes todas las respuestas. (Yo / comprender)

_____

6.　Diego va a la clase de computadoras. La clase es muy aburrida. Él nunca escribe en el cuaderno. Nunca tiene razón. (Él / aprender)

_____

*Expresa tus ideas*

The Explorers' Club is holding a special meeting at school on Saturday. The members are supposed to plan their summer trip. No one seems to be paying attention!

Mira el dibujo. Escribe por lo menos cinco oraciones sobre el dibujo. Primero, lee las listas de palabras.

| | | | |
|---|---|---|---|
| leer | abrir | interesante | importante |
| escribir | aprender | terrible | divertido |
| gustar | comprender | mucho | fantástico |

_____

_____

_____

_____

_____

_____

_____

_____

Nombre _____

# La página de diversiones ●◆∷◎◆⠿●◆⁚◆◆⠒

## Busca la palabra

Read each sentence. Look in the puzzle for the word or words in heavy **black** letters. Each word may appear across or down in the puzzle. When you find a word, circle it. One is done for you.

1. **Escribo con** un **lápiz** en el **cuaderno.**
2. A mí **me gusta** la **clase** de **salud.**
3. ¿A **ti** te **gustan** las **ciencias?**
4. La **geografía** es **aburrida.**
5. ¡Qué **terrible!** Paco no **comprende** la **lección.**
6. ¿Por **qué abres** la **ventana?**
7. **Siempre aprendo mucho** en las clases.
8. La **pregunta** es **muy fácil.**

| M | J | C | U | A | D | E | R | N | O | L | Q | R | Ñ |
|---|---|---|---|---|---|---|---|---|---|---|---|---|---|
| U | X | I | P | R | E | G | U | N | T | A | U | T | C |
| Y | G | E | O | G | R | A | F | Í | A | U | É | Q | O |
| M | O | N | X | T | Y | C | L | A | S | E | Z | A | N |
| E | S | C | R | I | B | O | V | E | N | T | A | N | A |
| P | A | I | B | G | E | M | U | C | H | O | M | U | L |
| A | L | A | Ó | R | F | P | L | A | B | R | E | S | E |
| G | U | S | T | A | T | R | Ñ | P | C | I | C | Ó | C |
| A | D | I | R | N | T | E | R | R | I | B | L | E | C |
| L | Á | P | I | Z | E | N | T | E | N | Z | R | Q | I |
| A | B | U | R | R | I | D | A | N | Á | B | P | R | Ó |
| S | I | E | M | P | R | E | D | D | B | R | U | R | N |
| S | O | G | U | S | T | A | N | O | F | Á | C | I | L |

A. Señor Torres has invited visitors to class. Before they arrive, he wants to be sure that everyone knows how to use appropriate pronouns and to ask questions.

Mira el dibujo. Primero, escribe **tú** o **usted**. Luego, escribe una pregunta apropriada de las listas. Sigue el modelo.

M  usted _____

¿Le gusta la _____

escuela? _____

3.  _____
_____
_____

1.  _____
_____
_____

4.  _____
_____
_____

2.  _____
_____
_____

5.  _____
_____
_____

¿Cómo estás tú?

¿Cómo está usted?

¿Comprendes tú el español?

¿Comprende usted el español?

¿Cuántos años tienes?

¿Cuántos años tiene?

¿Te gusta la escuela?

¿Le gusta la escuela?

¿Tú lees mucho?

¿Usted lee mucho?

¿Tienes sed?

¿Tiene sed?

B. Bernardo has a very busy schedule this Saturday. He has written everything down.
You are helping him memorize his schedule. How do you answer his questions?

Primero, lee el horario de Bernardo. Luego, lee la pregunta. Por
último, escribe la respuesta. Sigue los modelos.

|  |  |
|---|---|
| | Este sábado |
| | 8:00  ir al gimnasio |
| | 8:15  practicar los deportes |
| ◯ | 10:00  ir a la biblioteca/leer un libro para la clase de inglés |
| | 12:00  caminar a la casa |
| | 12:45  aprender el vocabulario para la clase de español |
| | 1:30  escribir una carta a mi amiga Lidia |
| | 2:10  ir a la casa de Felipe |
| | 2:20  ir al cine |
| | 4:35  caminar a la casa |

M  ¿Adónde voy a las ocho?

**Vas al gimnasio a las ocho en punto.**

M  Voy al cine a las cinco menos veinte y cinco, ¿verdad?

**No. Vas al cine a las dos y veinte.**

1. ¿Practico los deportes a las ocho y media?

   _____

2. ¿Adónde voy al mediodía?

   _____

3. Voy a la biblioteca a las dos y diez, ¿verdad?

   _____

Exercise B continues on page 133.

**4.** Leo un libro en la casa de Felipe, ¿verdad?

_____

**5.** ¿Adónde camino a las cinco menos veinte y cinco?

_____

**6.** ¿A qué hora aprendo el vocabulario para la clase de español?

_____

**7.** ¿Cuándo voy a la casa de Felipe?

_____

**8.** ¿A qué hora escribo una carta a Lidia?

_____

C. Now it's your turn to write about your Saturday activities.

Escribe por lo menos cinco oraciones sobre los sábados. Primero, lee el modelo.

M   **A las nueve y cuarto camino a la casa de mi amiga.**

**1.** _____

**2.** _____

**3.** _____

**4.** _____

**5.** _____

D. Juan has asked Sandra questions about her school. How quickly can you unscramble her answers? (Remember to change the verbs!)

Primero, lee la pregunta. Luego, lee las palabras. Por último, escribe la respuesta. Sigue el modelo.

**Modelo:**   ¿Cuándo vas a la escuela?

y / a las / cuarto / de / Ir / siete / la mañana.

**Voy a las siete y cuarto de la mañana.**

1. ¿A qué hora tienes la clase de historia?

la clase / a las / tres / de historia / Tener / quince. / menos

_____

2. ¿A ti te gustan las clases?

las / Sí, / clases. / gustar / me / a mí

_____

3. ¿Aprendes mucho en la clase de español?

mucho / Sí, / español. / aprender / en / la clase / de

_____

4. ¿Tienes sueño en las clases?

Nunca / sueño / las clases. / en / tener

_____

5. ¿Escribes mucho en el cuaderno?

el cuaderno. / mucho / No, / escribir / no / en

_____

6. ¿En qué clase lees muchos libros?

de geografía. / muchos / en / Leer / libros / la clase

_____

E. Señor and señora Payaso have come to visit you this afternoon. They're not speaking to each other, so it's up to you to ask the questions.

Primero, mira el dibujo. Luego, escribe ocho preguntas. Lee los modelos.

Ⓜ **Señora Payaso, ¿no tiene usted miedo de los tigres?** _____

Ⓜ **Señor Payaso, ¿le gusta mucho leer?** _____

1. _____

2. _____

3. _____

4. _____

5. _____

6. _____

7. _____

8. _____

F. Imagine that you are going to be interviewed on a television talk show, "Las escuelas de hoy." The host, Hernán Morelos, has sent you a list of questions so that you may prepare your answers.

Primero, lee la pregunta. Luego, escribe la respuesta en tus palabras. Lee el modelo.

M   P: ¿Cuántas clases tienes?

R: **Tengo ocho clases.** _____

1. P: ¿Te gustan las clases? ¿Por qué?

R: _____

2. P: ¿Cuál es tu clase favorita? ¿Por qué?

R: _____

3. P: ¿Aprendes mucho en tu clase favorita?

R: _____

4. P: ¿Escribes muchas respuestas en tus clases?

R: _____

5. P: ¿Escribes con un lápiz o con un bolígrafo?

R: _____

6. P: ¿En qué clase lees mucho?

R: _____

7. P: ¿Te gustan los libros de las clases? ¿Por qué?

R: _____

8. P: ¿A qué hora vas a la escuela todos los días?

R: _____

# ¡Aprende el vocabulario! ■■■■■■■■■

A. Susana loves fantasy stories. The book she's reading now is about the president of Andalandia and the members of his family. She has drawn his family tree.

Mira el dibujo y completa la oración. Sigue el modelo.

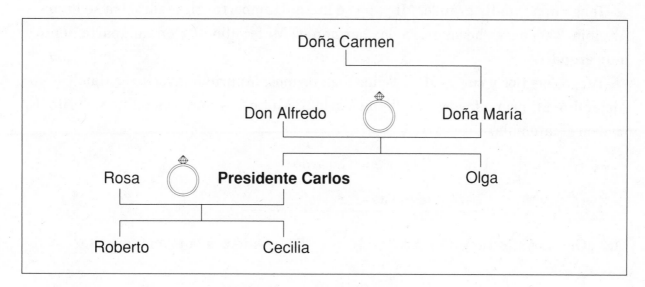

| M | Doña María es _____la mamá_____ del presidente. |

1. Olga es _____ del presidente.

2. Doña Carmen es _____ del presidente.

3. Roberto es _____ del presidente.

4. Don Alfredo es _____ del presidente.

5. Cecilia es _____ del presidente.

6. Don Alfredo y doña María son _____ del presidente.

B. Gerardo has written two paragraphs about his family.

Primero, lee las oraciones. Luego, contesta las preguntas. Sigue el modelo.

## La familia de Gerardo

Tengo una familia grande. Mi papá se llama Humberto. Mi madrastra se llama Antonia. Tengo tres hermanos y dos hermanas. Mi familia vive en un apartamento muy grande.

Tengo seis tíos y cuatro tías. Tengo diez primos. Mi primo favorito se llama Alejandro. Mi prima favorita se llama Carlota. Mi tío Gerónimo es mi tío favorito. Él vive en Guatemala.

**Modelo:**   ¿Cuántas tías tiene Gerardo?

_____**Tiene cuatro tías.**_____

1. ¿Cuántos tíos tiene Gerardo?

   _____

2. ¿Cómo se llama el papá de Gerardo?

   _____

3. ¿Cómo se llama la madrastra?

   _____

4. ¿Quién es el primo favorito?

   _____

5. ¿Quién es la prima favorita?

   _____

6. ¿Cuántos hermanos y hermanas tiene?

   _____

7. ¿Dónde vive Gerardo?

   _____

8. ¿Dónde vive el tío Gerónimo?

   _____

C. What is your family tree like? Draw a family tree and write a paragraph like Gerardo's in exercise B.

Primero, dibuja tu familia. Luego, escribe un párrafo sobre tu familia.

_____

_____

_____

_____

_____

_____

_____

_____

Nombre _____

# ¡Vamos a practicar!

A. Mirta has volunteered to work in the Lost and Found booth at the school carnival. What questions does she ask people? How do they answer her?

Primero, mira el dibujo. Luego, completa la pregunta y la respuesta con **mi, mis, tu, tus, su** o **sus**. Sigue el modelo.

M  ¿Es __su__ perro?

Sí, es __mi__ perro.

3.  ¿Son _____ loros?

Sí, son _____ loros.

M  ¿Son __tus__ mapas?

Sí, son __mis__ mapas.

4.  ¿Son _____ libros?

Sí, son _____ libros.

1.  ¿Es _____ hijo?

Sí, es _____ hijo.

5.  ¿Son _____ hijos?

Sí, son _____ hijos.

2.  ¿Es _____ papá?

Sí, es _____ papá.

6.  ¿Es _____ reloj?

Sí, es _____ reloj.

# ¡Alerta!

How quickly can you solve the following puzzlers?

1. El papá de mi abuela es mi _____ .

2. La hermana de mi papá es mi _____ .

3. La hija de mi abuela es mi _____ .

B. Natán's relatives visited him on his birthday. He drew a picture of the grand family event and wrote a paragraph. Help him finish it.

Primero, mira el dibujo y lee las oraciones. Luego, completa las oraciones. Sigue el modelo.

( M̄ ) __Mi__ familia es grande. **(1)** _____ abuelo se llama Adán. **(2)** _____

abuela se llama Irene. **(3)** _____ hermanos son León y Andrés. **(4)** Darío y Lucía

son _____ tíos. **(5)** _____ hijos son Rubén y Hugo. **(6)** _____ hijas son Nora y

Ema.

C. If you're going to be an ace reporter, you'll have to interview lots of people. Find one adult and one person your own age to interview. First, write two questions for each person about his or her family. Then, write the answers.

Primero, escoge a dos personas. Luego, escribe dos preguntas para cada persona. Por último, escribe las respuestas. Sigue el modelo.

**Modelo:**  P: _Señora Ruiz, ¿es grande su familia?_____

R: _No, mi familia no es grande._____

Nombre: _____

1. P: _____

   R: _____

2. P: _____

   R: _____

Nombre: _____

1. P: _____

   R: _____

2. P: _____

   R: _____

Nombre _____

# ¡Vamos a practicar!

A. Elisa likes to call people by their nicknames. What does she call her friends?

Primero, lee el nombre. Luego, escribe el nombre con **-ito** o **-ita**. Sigue el modelo.

**Modelo:** Rosa _____**Rosita**_____

1. Juana _____
2. Ana _____
3. Miguel _____

4. Roberto _____
5. Teresa _____
6. Luis _____

B. Elisa uses diminutive endings to talk about other things, too. How would she change the following sentences?

Primero, mira el dibujo. Luego, lee la oración y cambia las palabras. Sigue el modelo.

  1.  2.  3.  4.

Ⓜ Mi abuela tiene dos conejos. ___**Mi abuelita tiene dos conejitos.**___

1. Mi prima lee un libro. _____

2. Hay tres gatos en la ventana. _____

3. El oso tiene tres plumas. _____

4. Mi primo Jaime tiene un perro. _____

C. What people and things are special to you? Write sentences about the special people, animals, or things in your world.

Escribe cinco oraciones. Usa palabras con **-ito, -itos, -ita** o **-itas**. Primero, lee las oraciones de Rosario.

1. Vivo en una casita pequeñita.
2. Tengo un amiguito. Él se llama Pablito.
3. Mi hermanita se llama Clarita.
4. En la clase de español escribo en mi cuadernito.
5. Me gustan mucho los perritos y las mariposítas.

1. _____
2. _____
3. _____
4. _____
5. _____

## ¡Alerta! 〰〰〰〰〰〰〰〰〰〰〰〰〰〰〰〰〰〰

José is upset with his friend Alberto. Unscramble the words to find out what has happened.

¡ _____ tiene todos mis _____ , mis
      toAltiber             petoslipa

_____ y mis _____ !
   dertosnicua         tosbrili

Nombre _____

¡Aprende más!

A suffix is a set of letters that you attach to the end of a word to give the word a different meaning. For example, the endings **-ito, -itos, -ita,** and **-itas** are suffixes. When you add them to the end of a word, you change the meaning to indicate smallness or affection.

Compare the following lists of words in Spanish and English:

| Spanish | | English | |
|---|---|---|---|
| rojo | roj**izo** | red | redd**ish** |
| el hermano | la herman**dad** | brother | brother**hood** |
| el niño | la niñ**ez** | child | child**hood** |
| tonto | la tont**ería** | foolish | foolish**ness** |
| blanco | la blanc**ura** | white | white**ness** |
| el amigo | la amis**tad** | friend | friend**ship** |
| terrible | terrible**mente** | terrible | terrib**ly** |

In each example the meaning of the word changes because the suffix was added. When you know how suffixes work, you have a good clue to guessing the meanings of new words.

See how well you can spot a suffix. Read the following sentences and underline each word that you think has a suffix.

Me gusta la frescura de la mañana.

I like the coolness of the morning.

Diana aprende fácilmente.

Diana learns easily.

No me gusta la oscuridad de la noche.

I don't like the darkness of the night.

La verdura del verano es bella.

The greenness of summer is pretty.

Nombre _____

# La página de diversiones ●◆.:⊙◆⧉●◆:⊙◆⧉

## La sopa de letras

Find the secret words in the alphabet soup. Cross out the letters for each word in the lists. With the letters that are left, form the secret words.

Lee las palabras en el cuadro. Busca cada letra y escribe una **X** sobre la letra en la sopa. Luego, escribe las palabras secretas.

---

| | | | | |
|---|---|---|---|---|
| √ papá | hermano | hijo | mamá | nieto |
| nieta | abuela | hermana | hija | abuelo |

---

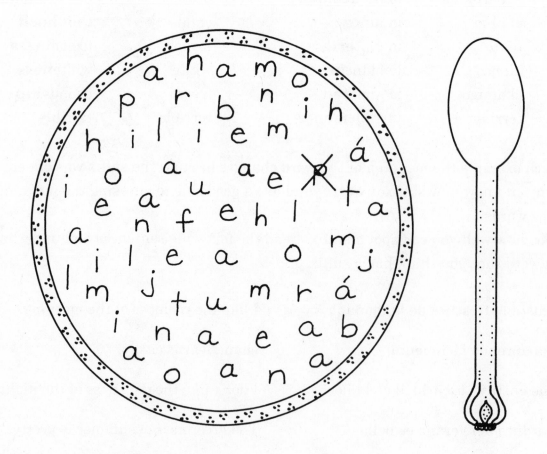

Las palabras secretas: __ __   __ __ __ __ __ __ __ __ __

# ¡Aprende el vocabulario!

A. Hortensia has an active imagination. She has drawn Sochi, a creature from another planet.

Primero, mira el dibujo y lee la pregunta. Luego, contesta la pregunta. Sigue el modelo.

M. ¿Cuántas orejas tiene Sochi?

**Tiene dos orejas.**
_____

1. ¿Cuántas cabezas tiene Sochi?

_____

2. ¿Cuántos brazos tiene?

_____

3. ¿Cuántos dedos tiene en la mano?

_____

4. ¿Cuántos ojos tiene?

_____

5. ¿Cuántas narices tiene?

_____

6. ¿Cuántas piernas tiene?

_____

7. ¿Cuántos pies tiene?

_____

8. ¿Cuántas rodillas tiene?

_____

B.  Claudio is going to lead his class in a game of "Simón dice." He wrote down
    several commands but he mixed up the letters of the words. Help him out.

Primero, lee la oración y mira las letras. Luego, pon las letras en
orden y completa la oración. Por último, escribe el número apropiado
en el dibujo.

M  Simón dice   —Toca la     **cintura**
                            _____ .
                                racintu

1.  Simón dice   —Toca los   _____ .
                                biosla

2.  Simón dice   —Toca la    _____ .
                                palesda

3.  Simón dice   —Toca las   _____ .
                                mellasji

4.  Simón dice   —Toca el    _____ .
                                doco

5.  Simón dice   —Toca los   _____ .
                                broshom

6.  Simón dice   —Toca los   _____ .
                                tollosbi

## ¡Alerta! ~~~~~~~~~~~~~~~~~~~~~~~~~~~~~~~~~~~~~~~~~~

How fast can you solve this riddle?

¿Qué tiene un pie pero no camina?     _____

Repuesta: ¡Una regla!

C. Your pen pal wants to know what you look like.  How do you answer her questions?

Primero, lee la pregunta.  Luego, contesta la pregunta en tus palabras.   Sigue el modelo.

**M** ¿Tienes la nariz grande o pequeña?

**Tengo una nariz grande.**
_____

1. ¿Tienes pestañas largas o cortas?

_____

2. ¿Tienes manos grandes o pequeñas?

_____

3. ¿Tienes pies grandes o pequeños?

_____

4. ¿Tienes piernas largas o cortas?

_____

5. ¿Tienes una boca grande o pequeña?

_____

6. ¿Tienes el pelo largo o corto?

_____

7. ¿Tienes mucho pelo?

_____

8. ¿Tienes una cara larga o corta?

_____

# ¡Vamos a practicar!

A.  It's a busy day in the nurse's office.  She needs your help to list the patients.

Primero, mira el dibujo.  Luego, completa la oración con **le duele** o **le duelen**.  Sigue el modelo.

**Modelo:**  A Pedro ____le duelen____ los dedos.

1.  A Judit _____ la cabeza.

2.  A Mateo _____ el codo.

3.  A Lupe _____ las manos.

4.  A Hugo _____ el brazo.

5.  A Adán _____ los pies.

6.  A Inés _____ las orejas.

B. Unfortunately, the nurse spilled water on your notes. She must find out for herself what is wrong with the students.

Primero, completa la pregunta. Luego, mira el dibujo del ejercicio A en la página 150. Por último, escribe la respuesta. Sigue el modelo.

[M] P: Pedro, _____**te duele**_____ la cabeza, ¿verdad?

R: No, señora. **Me duelen los dedos.** _____

1. P: Adán, _____ las rodillas, ¿verdad?

R: No, señora. _____

2. P: Lupe, _____ el cuello, ¿verdad?

R: No, señora. _____

3. P: Mateo, _____ los dientes, ¿verdad?

R: No, señora. _____

4. P: Judit, _____ los hombros, ¿verdad?

R: No, señora. _____

5. P: Inés, _____ los tobillos, ¿verdad?

R: No, señora. _____

6. P: Hugo, _____ la espalda, ¿verdad?

R: No, señora. _____

C. Imagine that you and some friends are hiking. Two of your friends have hurt themselves. David hurt himself above the waist and Laura hurt herself below the waist. What questions do you ask to find out exactly what hurts?

Escribe dos preguntas para cada persona. Usa **te duele** en dos preguntas y **te duelen** en dos preguntas. Primero, lee los modelos.

David

**Modelo:**      ¿A ti te duele el cuello?    _____

1. _____

2. _____

Laura

**Modelo:**      ¿A ti te duelen las rodillas?    _____

1. _____

2. _____

## ¡Alerta! ∿∿∿∿∿∿∿∿∿∿∿∿∿∿∿∿∿∿∿∿∿∿∿

What can you say to people who tell you about their aches and pains? Complete the sentences and write the letters that go with the numbers.

1. Caminas con los ___ ___ ___ ___ .
                         1  2  3  4

2. La cabeza y las piernas son partes del ___ ___ ___ ___ ___ ___ .
                                             5  6  7  8  9  10

3. En la boca, tienes los dientes y la ___ ___ ___ ___ ___ ___ .
                                11  12  13  14  15  16

4. Susana tiene los ojos azules y las ___ ___ ___ ___ ___ ___ ___ ___ largas.
                                17  18  19  20  21  22  23  24

5. Escribes con la ___ ___ ___ ___ .
                    25  26  27  28

¡ Q ___ ___  ___ ___ ___ ___ ___ ___ ___ !
     6  3    11  23  19  20  2  25  16

Nombre _____

## ¡Vamos a practicar!

A. Imagine that you have a pen pal. You don't know what he or she looks like.

Lee y completa las preguntas. Sigue el modelo.

**Modelo:** ¿Cómo son __los__ ojos?

1. ¿Cómo es _____ cara?

2. ¿Cómo son _____ piernas?

3. ¿Cómo son _____ pies?

4. ¿Cómo es _____ pelo?

5. ¿Cómo son _____ hombros?

6. ¿Cómo son _____ manos?

B. How would you complete the following sentences?

Lee y completa las oraciones. Sigue el modelo.

M  Leo muchos libros. A veces __me duelen los ojos.__

1. Escribo mucho todos los días. A veces _____

2. Siempre camino a la escuela. A veces _____

3. Los sábados, pinto las paredes de la casa. A veces _____

   _____

4. Uso la computadora cada día por cuatro horas. A veces _____

   _____

5. Practico mucho los deportes. A veces _____

   _____

*Expresa tus ideas*

The members of the Explorers' Club are trying to build a booth for the school carnival.  At the rate they're going, they may never finish!  Señorita Aventura, their advisor, is very busy.

Mira el dibujo.  Luego, escribe una conversación.

SRTA. AVENTURA: _____

BERTA: _____

PACO: _____

LUIS: _____

PEPE: _____

RITA: _____

ANA: _____

JOSÉ: _____

¡Aprende **más**!

In most languages, you can find sayings that may not make sense when you translate them word for word.  The sayings take on meanings of their own.  These sayings are called **idioms** in English and **modismos** in Spanish.  For example, the expression "to lend a hand" does not mean that a person actually gives someone his or her hand.  The expression really means "to help."

   Look at the following illustrations and read the Spanish expressions to the left and the English word-for-word translations to the right.  In your own words, write what you think the expression really means.  Then write an English expression that has a similar meaning.

¡La computadora cuesta un ojo de la cara!

The computer costs an eye from your face!

_____

_____

La mamá coge al hijo con las manos en la masa.

The mother catches her son with his hands in the dough.

_____

_____

# La página de diversiones ●◆.┇◉◆┇●◇┇◉◆□

## Usa tu talento artístico

Do you think that life exists on a planet somewhere in a distant galaxy? What do you think a being from another planet might look like? Use your artistic talents (and a lot of imagination) to draw a picture of your being from space.

Dibuja a una persona de otro planeta. Luego, escribe unas oraciones sobre tu dibujo.

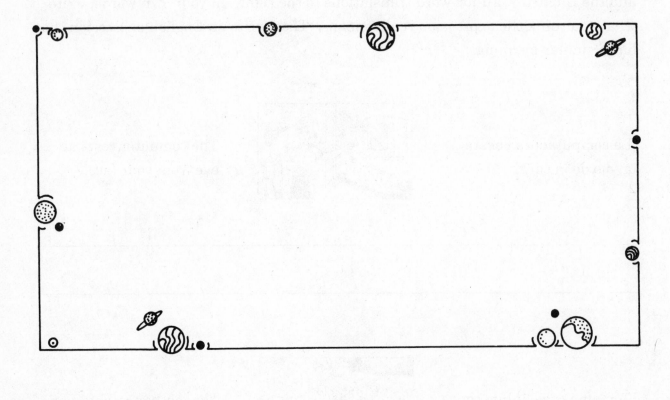

_____

_____

_____

_____

_____

Nombre _____

# ¡Aprende el vocabulario!

A. Mariano and Ema are going to perform in a skit. They are shopping for costumes in a secondhand store. What does each one buy?

Primero, lee la pregunta. Luego, mira el dibujo y completa la respuesta. Sigue los modelos.

M

¿Qué compra él?

Compra ___unos___

___pantalones.___

3.

¿Qué compra ella?

Compra _____

_____

M

¿Qué compra ella?

Compra ___una___

___falda.___

4.

¿Qué compra él?

Compra _____

_____

1.

¿Qué compra él?

Compra _____

_____

5.

¿Qué compra él?

Compra _____

_____

2.

¿Qué compra él?

Compra _____

_____

6.

¿Qué compra ella?

Compra _____

_____

# ¡Alerta! ~~~~~~~~~~~~~~~~~~~~~~~~~

Name an item of clothing that you would never wear outside your home.

_____

_____

B.  Ignacio is shopping for presents.  His family likes dark clothing.  Ignacio has found some items they will like, but he can't tell what size they are.  Help him out.

Primero, mira la ropa oscura.  Luego, escribe una oración sobre la ropa.  Usa **grande, mediano** o **pequeño.**  Sigue el modelo.

Ⓜ

**La bata es grande.**

3.

_____

1.

_____

4.

_____

2.

_____

5.

_____

# ¡Alerta!

Name three items of clothing that are often worn under another item of clothing.

**1.** _____  **2.** _____  **3.** _____

Name your favorite item of clothing.

¿Cuál es tu ropa favorita?  ¿De qué color es?

_____

_____

C.  What do you wear in different situations?

Primero, lee las oraciones.  Luego, escribe otra oración con **llevar.**
Sigue el modelo.

M  Hace fresco.  Hace viento también.

**Llevo mi chaqueta.  [Llevo mi suéter.]**

1.  Son las once de la noche.  Tienes mucho sueño.

    _____

2.  Caminas a la escuela.  Está lloviendo.

    _____

3.  Practicas los deportes.  Hace sol.

    _____

4.  Es agosto.  Vas a nadar.

    _____

5.  Vas al cine.  Hace mucho frío y está nevando.

    _____

6.  Es septiembre.  Vas a ir a una fiesta.

    _____

7.  Estudias en la casa.  Tienes frío.

    _____

8.  Vas a caminar.  Tienes frío en los pies.

    _____

D.  What do you think is pretty?  What do you think is ugly?  Draw or find pictures
    of clothing that is pretty and clothing that is ugly.  Then write a sentence about
    each item.

Primero, dibuja ropa bonita y ropa fea.  Luego, escribe una oración
sobre cada cosa.  Lee los modelos.

| **La ropa fea** | **La ropa bonita** |
|---|---|
| 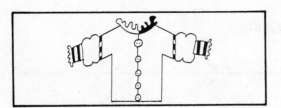 |  |
| No me gusta la blusa fea. | Me gusta la camiseta bonita. |

# ¡Vamos a practicar!

A. Constancia is all dressed up for her piano recital.  She is very nervous.  Tell her how nice she looks.

Primero, lee la oración y escoge la palabra correcta entre paréntesis. Luego, escribe la oración.   Sigue el modelo.

**Modelo:**   Te (queda, quedan) bien la falda.

**Te queda bien la falda.**
_____

1. Te (queda, quedan) bien la blusa.

_____

2. Te (queda, quedan) bien los zapatos.

_____

3. Te (queda, quedan) bien las medias.

_____

4. Te (queda, quedan) bien el suéter.

_____

5. Te (queda, quedan) bien el sombrero.

_____

6. Te (queda, quedan) bien el abrigo.

_____

# ¡Alerta! ~~~~~~~~~~~~~~~~~~~~~~~~~~~~~~

Circle the sentence that describes the picture.

A ella le queda mal el vestido.

A ella le queda bien el vestido.

B. Sonia and Lionel are window-shopping at the mall. The mannequins are all the same size, but the clothes aren't!

Primero, mira el dibujo y lee la pregunta. Luego, contesta la pregunta. Sigue el modelo.

**Modelo:**  ¿Cómo le queda la ropa a Julio?

**Los pantalones le quedan cortos.**

**La camisa le queda bien.**

1. ¿Cómo le queda la ropa a Julieta?

_____

_____

2. ¿Cómo le queda la ropa a José?

_____

_____

3. ¿Cómo le queda la ropa a Judit?

_____

_____

4. ¿Cómo le queda la ropa a Juana?

_____

_____

C. Sometimes people need to be complimented.  Choose four classmates and one adult.  Write a compliment for each one about his or her clothes.

Primero, escoge a cinco personas.  Luego, escribe una oración sobre cada persona.  Sigue el modelo.

**Modelo:**   Señora Antares, el vestido le queda bonito.

1. _____

2. _____

3. _____

4. _____

5. _____

D. Do all of your clothes fit well?  Are some items too small or too short?

Escribe cuatro oraciones sobre la ropa que no te queda bien.  Primero, lee el modelo.

**Modelo:**   Mi abrigo favorito me queda pequeño.

1. _____

2. _____

3. _____

4. _____

## ¡Vamos a practicar!

A. Some friends are having a pool party. They have put all their clothing in one pile. Help sort out the items.

Primero, lee la pregunta. Luego, mira el dibujo y contesta la pregunta. Sigue el modelo.

M  ¿De quién es la camiseta?

**Es de Inés.**
_____

3.  ¿De quién es la camisa?

_____

1.  ¿De quién es la chaqueta?

_____

4.  ¿De quién es la camiseta?

_____

2.  ¿De quién es la falda?

_____

5.  ¿De quién es la chaqueta?

_____

## ¡Alerta!

Circle the word in each line that does not belong.

1. zapatos      medias      camisa      calcetines

2. botas      pijama      abrigo      sombrero

3. bata      impermeable      chaqueta      traje de baño

4. blusa      camisa      pantalones      camiseta

B. Four visitors have left their belongings in your classroom. Sort them out.

Primero, lee las listas. Luego, lee la pregunta y escribe la respuesta. Sigue los modelos.

| **El hombre** | **La mujer** | **El muchacho** | **La muchacha** |
|---|---|---|---|
| un sombrero | un suéter | una chaqueta | un abrigo |
| un bolígrafo | un cuaderno | dos libros | un librito |
| dos reglas | dos mapas | un lápiz | un reloj |

M ¿De quién son las reglas?

**Son del hombre.**

3. ¿De quién es la chaqueta?

_____

M ¿De quién es el librito?

**Es de la muchacha.**

4. ¿De quién es el bolígrafo?

_____

1. ¿De quién es el suéter?

_____

5. ¿De quién son los mapas?

_____

2. ¿De quién son los libros?

_____

6. ¿De quién es el reloj?

_____

C. There are a few items left to be sorted out.

Primero, lee la pregunta. Luego, lee las listas del ejercicio B. Por último, contesta la pregunta. Sigue el modelo.

M ¿Son las reglas del hombre o de la mujer? ____**Las reglas son de él.**____

1. ¿Es el cuaderno del hombre o de la mujer? _____

2. ¿Es el abrigo del muchacho o de la muchacha? _____

3. ¿Es el sombrero del hombre o de la mujer? _____

D. How well do you observe the people and things around you?

Lee y contesta las preguntas. Escribe las respuestas en oraciones completas. Primero, lee el modelo y las listas de palabras.

| | | |
|---|---|---|
| grande | bonito | aburrido |
| mediano | feo | largo |
| pequeño | interesante | corto |

**Modelo:**   ¿Cómo es el escritorio de la profesora?

**El escritorio de la profesora es largo.**

1. ¿Cómo son los libros de un compañero?

   _____

2. ¿Cómo es el pupitre de una compañera?

   _____

3. ¿Cómo es el reloj del profesor o de la profesora?

   _____

4. ¿Cómo son los lápices de un amigo?

   _____

5. ¿Cómo son los zapatos de una amiga?

   _____

6. ¿Cómo es el pelo de un hermano o de una hermana?

   _____

*Expresa tus ideas*

The Explorers' Club is rehearsing for a play to raise money for their summer trip. It looks like they may have to spend some money on costumes first!

Primero, mira el dibujo. Luego, escribe por lo menos diez oraciones sobre el dibujo.

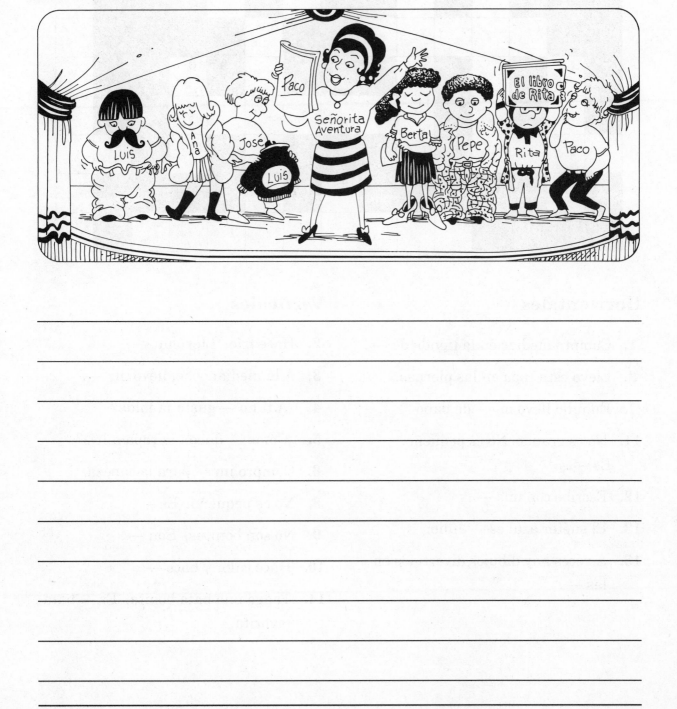

_____

_____

_____

_____

_____

_____

_____

_____

_____

_____

# La página de diversiones

## Un crucigrama

## Horizontales

**1.** Compro medias en la tienda de — .

**3.** Llevo esta ropa en las piernas.

**7.** En julio llevo mi — de baño.

**11.** No es grande. No es pequeño. Es — .

**12.** Escribo con una — .

**13.** El suéter azul es — Julio.

**15.** A veces hay dibujos divertidos en las — .

## Verticales

**2.** Hace frío. Llevo un — .

**3.** A la medianoche, llevo un — .

**4.** ¿A ti no — gusta la falda?

**5.** ¿Cómo — queda la ropa a Iris?

**6.** Compro un — para la cabeza.

**8.** No es pequeño. Es — .

**9.** No son bonitas. Son — .

**10.** Hace calor y hace — .

**14.** Tengo una bata bonita. Es — bata favorita.

# ¡Aprende el vocabulario!

A. Dolores is very talented when it comes to hair. She has just cut and styled the hair of her sisters and her friends.

Primero, mira el dibujo. Luego, lee la oración. Por último, escoge las palabras apropiadas de las listas y completa la oración. Sigue el modelo.

| largo | mediano | ondulado |
|---|---|---|
| corto | lacio | rizado |

**M**   El pelo de Antonia es **corto** y **lacio** .

**1.**   El pelo de Federico es _____ y _____ .

**2.**   El pelo de Laura es _____ y _____ .

**3.**   El pelo de Mariela es _____ y _____ .

**4.**   El pelo de Juanito es _____ y _____ .

B.  Carlos and Carola are brother and sister.  They are looking at old pictures of themselves and finding out how much they have changed over the years.

Primero, mira el dibujo y lee la oración.  Luego, escribe otra oración. Sigue el modelo.

M

2.

4.

Carlos tiene tres

años. **Él es bajo y**

**grueso.**

Carlos tiene ocho

años. _____

_____

Carlos tiene quince

años. _____

_____

1.

3.

5.

Carola tiene seis

años. _____

_____

Carola tiene once

años. _____

_____

Carola tiene diez y

ocho años. _____

_____

# ¡Alerta! ∿∿∿∿∿∿∿∿∿∿∿∿∿∿∿∿

Draw a line from the word on the left to the word on the right that has the opposite meaning.

|  |  |
| --- | --- |
| lacio | largo |
| fuerte | rizado |
| corto | alto |
| bajo | débil |

C. Éster is trying to describe her friends' personalities.  She needs help in choosing the right adjective.

Primero, lee las descripciones y la pregunta.  Luego, contesta la pregunta.  Sigue el modelo.

M  Jaime siempre practica los deportes.  ¿Es tímido o es atlético?

   **Jaime es atlético.** _____

1.  Carmenza siempre tiene prisa.  Siempre mira su reloj.  ¿Es inteligente o es

    impaciente? _____

2.  Eduardo compra camisetas para sus amigos.  ¿Es generoso o es cómico?

    _____

3.  A Diana le gustan las personas.  Ella tiene muchos amigos.  ¿Es atlética o es

    popular? _____

4.  Rosita tiene miedo de bailar.  También tiene miedo de cantar.  ¿Es impaciente o

    es tímida? _____

D.  What is your best friend like?  Think of three sentences to describe your best friend.

Escribe tres oraciones sobre tu amigo o tu amiga.

| tímido | inteligente | popular | simpático |
|--------|-------------|---------|-----------|
| atlético | cómico | impaciente | generoso |

1. _____

2. _____

3. _____

## ¡Vamos a practicar! ████████████████

A. Imagine that you are having a conversation with Javier Montenegro. He is a foreign exchange student from Chile.

Primero, lee y completa la pregunta. Luego, lee y completa la respuesta. Usa **soy, eres** o **es**. Sigue el modelo.

M   P: Javier, ¿ ____**eres**____ tú muy atlético?

   R: Yo no ____**soy**____ atlético. Mi hermano ____**es**____ atlético.

1. P: Javier, ¿ _____ cómico tu hermano?

   R: No, él no _____ cómico. Mi hermana _____ cómica.

2. P: Javier, ¿ _____ tú impaciente?

   R: Sí, a veces _____ impaciente. Mi tío _____ muy impaciente.

3. P: Javier, ¿ _____ bonita tu hermana?

   R: Sí, ella _____ bonita. Mi mamá también _____ bonita.

4. P: Javier, ¿ cómo _____ tú?

   R: _____ alto y delgado. También _____ generoso.

5. P: Javier, ¿ _____ simpático tu papá?

   R: Sí, él _____ muy simpático. A veces mi hermano no _____ simpático.

B. The Association of Twins is having a convention. What are the twins like?

Primero, lee las palabras. Luego, escribe una oración con las palabras. Sigue el modelo.

M Lupe y Luisa / bajo

**Lupe y Luisa son bajas.**

1. Eva y Ema / fuerte

_____

2. José y Josué / grueso

_____

3. Rúben y Raúl / alto

_____

4. Carla y Clara / cómico

_____

5. Mario y Mateo / tímido

_____

C. Elisa Garza is showing you pictures of her family and friends. What do you ask?

Primero, mira el dibujo. Luego, lee y completa la pregunta. Sigue el modelo.

M 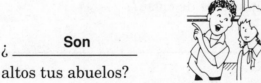 ¿ __Son__ _____ altos tus abuelos?

1.  ¿ _____ fuerte tu hermana?

2.  ¿ _____ pequeño tu perro?

3.  ¿ _____ simpáticos tus amigos?

4.  ¿ _____ inteligentes tus amigos?

5. 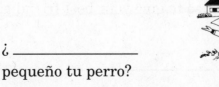 ¿ _____ alto y delgado tu primo?

D.  Now Elisa wants to ask you some questions.

   Lee y contesta las preguntas en tus palabras.  Primero, lee el modelo.

   **Modelo:**   ¿Son simpáticos tus abuelos?

   **Sí, mis abuelos son muy simpáticos.**

1.  ¿Son atléticos tus amigos?

   _____

2.  ¿Eres tú atlético o atlética?

   _____

3.  ¿Son impacientes tus profesores?

   _____

4.  ¿Eres tú impaciente?

   _____

5.  ¿Son generosos tus compañeros de clase?

   _____

6.  ¿Eres tú generoso o generosa?

   _____

## ¡Alerta! ～～～～～～～～～～～～～～～～～～～

Write three adjectives you would use to give your best friend a compliment.

_____     _____     _____

# ¡Vamos a practicar!

A. The Buñuelo family is walking through the House of Mirrors.  How do the family members compare to one another?

Primero, mira el dibujo.  Luego, completa la oración con **más . . . que.**  Sigue el modelo.

M

Olga es _____más alta que_____
su mamá.

3.

Tío Víctor es _____

_____ Samuel.

1.

Rosita es _____
Pepito.

4.

Abuelito es _____
Abuelita.

2.

Tía Nora es _____
Paula.

5.

Luis es _____
su papá.

B. Now the Buñuelo family is at the zoo.  How do they describe and compare the animals?

Primero, mira el dibujo.  Luego, completa la oración con **menos . . . que.**  Sigue el modelo.

**M**

El tigre es grande.  El conejo es

   **menos grande que**
_____

el tigre.

**3.**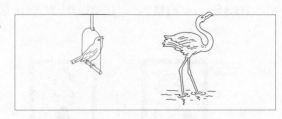

El flamenco es alto.  El canario es

_____

el flamenco.

**1.**

El perro es largo.  El ratón es

_____

el perro.

**4.**

El conejo es grande.  El conejito es

_____

el conejo.

**2.**

El loro es alto.  El lorito es

_____

el loro.

**5.**

El oso es grueso.  El osito es

_____

el oso.

C. How do you compare people and things around you?

Primero, lee las palabras. Luego, escribe una oración con
**más . . . que** o **menos . . . que.** Sigue el modelo.

**Modelo:** Yo / alto (alta) / la profesora.

**Yo soy más alto que la profesora.**
_____

**[Yo soy menos alta que la profesora.]**
_____

1. Mi pupitre / grande / la mesa.

_____

2. Yo / impaciente / mi amigo (mi amiga).

_____

3. La ventana / alta / la puerta.

_____

4. Mi libro de español / interesante / mi libro de inglés.

_____

5. Yo / cómico (cómica) / mi amigo (mi amiga).

_____

6. Las muchachas / atléticas / los muchachos.

_____

D. Imagine that you have a pen pal in South America. What would you write to your pen pal about your classes and school?

Escribe una carta de seis oraciones por lo menos. Primero, lee la carta de Cristina.

---

¡Hola, amiga!

　　Vivo en una casa pequeña. Mi casa es menos grande que el gimnasio de la escuela.

　　Tengo muchas clases. La clase de ciencias es interesante. Es más interesante que la educación física. La geografía es menos divertida que la historia. La historia es más aburrida que las matemáticas. Y la clase de español es más popular que la clase de inglés. ¿Cómo son tus clases?

　　　　　　　　　　　　　　　　　¡Hasta luego!
　　　　　　　　　　　　　　　　　Cristina

---

_____

_____

_____

_____

_____

_____

_____

　　　　　　　　　　　　_____

　　　　　　　　　　　　_____

¡Aprende más!

One way to remember the meanings of words is to remember them in pairs. Sometimes you can recall one word by remembering a word that has an opposite meaning. You have already learned many pairs of opposites.

largo . . . corto          claro . . . oscuro          bonito . . . feo
grande . . . pequeño       alto . . . bajo             fuerte . . . débil

Learning opposites can also help you guess the meanings of new words. If you know one word, it is easy to guess the meaning of its opposite. Read the following sentences and underline the words that you think are opposites:

1.  Raimundo es muy generoso, pero Felipe es muy tacaño.

2.  Amalia es cómica, pero su hermana es seria.

3.  El señor Márquez es simpático, pero el señor Rojas es antipático.

4.  La señora Vega es paciente, pero la señora Estevez es impaciente.

5.  Beatriz es tímida, pero Timoteo es atrevido.

Occasionally, words are easy to learn because they are cognates. (Recall that cognates are words in Spanish and English that have similar spellings and meanings.)

Reread the five sentences. Then, on the lines below, write all the words that you can recognize as cognates.

_____

_____

# La página de diversiones ●◈.▪◉◆▫▪●◇▪▪◉◆▫▫

## Busca la palabra

First, read the sentences. Then look in the puzzle for each word in a sentence that is in heavy **black** letters. The words may appear across, down, or diagonally in the puzzle. When you find a word, circle it.

1. **Mi amiga débil** es **baja** y **cómica.**

2. Yo **soy más impaciente** que tú.

3. Juan tiene el **pelo largo** y los ojos **azules.**

4. **El** pelo **rubio** me gusta **menos que** el pelo **castaño.**

5. El muchacho del pelo **rojizo** y **lacio** es **alto.**

6. Tú no **eres tímido**, ¿verdad?

7. La muchacha del pelo **corto** es muy **popular.**

Dibuja un círculo alrededor de las palabras.

```
M   I   L   C   O   R   T   O   Z   Q   U   R
T   Í   M   I   D   O   T   M   E   N   O   S
D   E   M   P   O   L   A   Z   U   L   E   S
P   É   R   B   A   P   O   P   U   L   A   R
A   E   B   E   U   C   A   S   T   A   Ñ   O
M   R   L   I   S   Ó   I   C   O   C   M   J
I   U   A   O   L   M   B   E   M   I   Á   I
G   B   R   Q   Z   I   U   A   N   O   S   Z
A   I   G   U   J   C   Z   T   J   T   Q   O
G   O   O   E   L   A   S   O   Y   A   E   Y
```

A. Mariela is proudly showing you her bulletin-board display. What has she put on the board?

Primero, mira el dibujo. Luego, escribe una oración sobre el dibujo. Sigue el modelo.

M

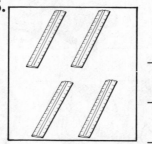

Hay dos sillas en

el círculo.

4.

_____

_____

1.

_____

_____

5.

_____

_____

2.

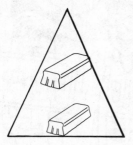

_____

_____

6.

_____

_____

3.

_____

_____

**¡Alerta!** ～～～～～～～～～～

Name three things you can use for writing:

_____

_____

_____

B.  Señora Moreno's students are an interesting group.  What do they like?

Primero, mira el dibujo.  Luego, lee las listas de palabras y completa la oración.  Usa la forma apropiada de **gustar.**  Sigue el modelo.

| los deportes | el otoño | ir a la escuela |
| ir al cine | pintar | la música |
| los pájaros | el invierno | cantar |

**Modelo:**　A Marina ___le gusta ir a la escuela.___

Exercise B continues on page 183.

Nombre _____

1. A Felipe _____     4. A José _____

2. A Rosita _____     5. A Olga _____

3. A Ernesto _____     6. A Arsenio _____

---

C. What are señora Moreno's students like?

Primero, lee la pregunta y mira el dibujo del ejercicio B. Luego, contesta la pregunta. Sigue los modelos.

M   El pelo de Felipe es _____**más lacio que**_____ el pelo de José.

M   Olga es _____**más alta que**_____ Rosita.

1. El pelo de Olga es _____ el pelo de Marina.

2. José es _____ Arsenio.

3. Marina es _____ Ernesto.

4. El pelo de Arsenio es _____ el pelo de Rosita.

5. Los brazos de José son _____ los brazos de Felipe.

6. Las piernas de Ernesto son _____ las piernas de Olga.

Nombre _____

D. Amalia is a new student from Panama. She has many questions about weather, activities, and clothing. How do you answer her questions?

Primero, lee las preguntas para cada estación. Luego, contesta las preguntas en tus palabras.

**1.** En el otoño . . .

    a.  ¿Qué tiempo hace? _____

    b.  ¿Qué te gusta hacer? _____

    c.  ¿Qué ropa llevas? _____

**2.** En el verano . . .

    a.  ¿Qué tiempo hace? _____

    b.  ¿Qué te gusta hacer? _____

    c.  ¿Qué ropa llevas? _____

**3.** En el invierno . . .

    a.  ¿Qué tiempo hace? _____

    b.  ¿Qué te gusta hacer? _____

    c.  ¿Qué ropa llevas? _____

**4.** En la primavera . . .

    a.  ¿Qué tiempo hace? _____

    b.  ¿Qué te gusta hacer? _____

    c.  ¿Qué ropa llevas? _____

E. Señor Preguntón is a roving reporter for a national newspaper. He is trying to find out if best friends are alike or different. How do you answer his questions?

Lee las preguntas y escribe una respuesta en tus palabras. Primero, lee el modelo.

M  ¿Quién es atlético, tú o tu amigo?

**Mi amigo es atlético. Yo no soy atlético.**
_____

**[Mi amiga no es atlética. Yo soy atlética.]**
_____

1.  ¿Quién lee muchos libros, tú o tu amigo?

_____

2.  ¿Quién aprende mucho en la escuela, tú o tu amigo?

_____

3.  ¿Quién siempre tiene razón, tú o tu amigo?

_____

4.  ¿Quién es generoso, tú o tu amigo?

_____

5.  ¿Quién es cómico, tú o tu amigo?

_____

6.  ¿Quién escribe muy bien en español, tú o tu amigo?

_____

F.  Imagine that you are a reporter.  How do you describe Roberto's day?

Primero, mira los dibujos.  Luego, escribe por lo menos una oración para cada dibujo.  Lee la primera oración.

  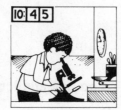 

**A las ocho de la mañana Roberto va al Colegio Libertad.**

_____

_____

_____

_____

_____

_____

_____

_____

_____

_____

G. When you talk to Roberto, he tells you about his family. How do you describe the members of his family and their activities?

Primero, mira el dibujo. Luego, escribe dos o tres oraciones sobre el dibujo. Contesta las preguntas: **¿Cómo es?** y **¿Qué hace?** Sigue el modelo.

 abuelo

**Su abuelo es bajo y grueso. Tiene el pelo rizado. Le gusta caminar. Él camina mucho.**

**1.** hermana

_____

_____

**2.** papá

_____

_____

**3.** mamá

_____

_____

**4.** hermano

_____

_____

H. Imagine that you have won money for a shopping trip. What are you going to buy?

Primero, mira el dibujo. Luego, escoge una cosa y contesta la pregunta **¿Qué vas a comprar?** Sigue el modelo.

    2.    4.

**Voy a comprar la**
_____    _____    _____

**camiseta.**
_____    _____    _____

1.   3. 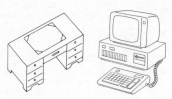  5.

_____    _____    _____

_____    _____    _____

                             _____

I. Now that you have made your purchases, the store owners want to know if you are satisfied.

Lee y contesta las preguntas.

¿Te gusta tu ropa? _____

¿Te gusta tu animal? _____

¿Te gustan tus cosas? _____

J.   The school newspaper wants to print a feature story — about you! How do you describe your favorite people and things?

### Contesta las preguntas en tus palabras.

**1.** ¿Cómo es tu clase favorita?

_____

_____

**2.** ¿Cómo son tus zapatos favoritos?

_____

_____

**3.** ¿Cómo es tu animal favorito?

_____

_____

**4.** ¿Cómo es tu amigo favorito o tu amiga favorita?

_____

_____

**5.** ¿Cómo es tu camiseta favorita?

_____

_____

K.  Imagine that your favorite performer is visiting your class.  What questions will you ask him or her?  (If you need help, look at the lists of categories for topics about which you can ask questions.)

Escribe cinco preguntas para un adulto.  Primero, escribe el nombre de la persona.

---

| la familia | los animales | la ropa |
| la escuela | el horario | las actividades |

---

¿Cómo se llama la persona? _____

1. _____

2. _____

3. _____

4. _____

5. _____

# ¡Alerta! ∿∿∿∿∿∿∿∿∿∿∿∿∿∿∿∿∿∿∿∿∿

How quickly can you answer these questions?

¿Qué haces a las ocho de la mañana?

_____

¿Qué haces a las ocho de la noche?

_____

L.  Before you leave for summer vacation, why don't you make a directory of
    information about your classmates?

    Primero, lee la lista de preguntas.  Luego, haz las preguntas a seis
    compañeros de clase.  Por último, escribe el nombre y las respuestas.

## Preguntas

1.  ¿Cuál es tu número de teléfono?
2.  ¿Dónde vives?
3.  ¿Cuántas personas hay en tu familia?

1.  Nombre: _____     Teléfono: _____

    _____

    _____

2.  Nombre: _____     Teléfono: _____

    _____

    _____

3.  Nombre: _____     Teléfono: _____

    _____

    _____

4.  Nombre: _____     Teléfono: _____

    _____

    _____

5.  Nombre: _____     Teléfono: _____

    _____

    _____

6.  Nombre: _____     Teléfono: _____

    _____

# Glossary of Instructions
## Spanish–English

The Spanish–English instruction glossary contains the words that are used in Spanish instructions in the exercises. This glossary has been prepared in the same way as the Spanish–English Glossary in your textbook. If you need to refresh your memory of how the entries are listed and of what the abbreviations mean, reread pages 333 and 334 in your *Converso mucho* textbook.

The following abbreviations are used in this Spanish–English glossary.

## Abbreviations

*adj.*  adjective
*adv.*  adverb
*com.*  command
*f.*  feminine

*inf.*  infinitive
*m.*  masculine
*pl.*  plural
*s.*  singular

## a

**actividad, la**  activity
**adulto, el**  adult
**alrededor**  around
**amigo, el**  friend
**añade** (*com.; inf.:* **añadir**)  add
  **añade cinco minutos a**  add five minutes to
**apropiado (-a)**  appropriate

## b

**busca** (*com.; inf.:* **buscar**)  look for

## c

**cada**  each
**calendario, el**  calendar
**carta, la**  letter
**círculo, el**  circle
**clave, la** (*f.*)  clue
**color, el**  color
**colorea** (*com.; inf.:* **colorear**)  color
**columna, la**  column
**compañera, la**  (female) classmate
**compañero, el**  (male) classmate
**compañeros, los**  classmates (all male or male and female)
**completa** (*com.; inf.:* **completar**)  complete
**completo (-a)**  complete
  **en oraciones completas**  in complete sentences

**con**   with
**conecta** *(com.; inf.:* **conectar***)*   connect
**contesta** *(com.; inf.:* **contestar***)*   answer
**conversación la** *(f., pl.:* **conversaciones***)*
   conversation
**correcto (-a)**   correct
**cosa, la**   thing
**crucigrama, el** *(m.)*   crossword puzzle
**cuadro, el**   box
**cuenta** *(com.; inf.:* **contar***)*   count
   **Cuenta por cuatro.**   Count by fours.

# d

**de**   of; from
   **de . . . a**   from . . . to
**descripción, la** *(f., pl.:* **descripciones***)*
   description
**dibuja** *(com.; inf.:* **dibujar***)*   draw
**dibujo, el**   drawing, picture

# e

**ejercicio, el**   exercise
**en**   in
**entre**   in; between
   **entre paréntesis**   in parentheses
**escoge** *(com.; inf.:* **escoger***)*   choose
   **escoge a un compañero**   choose a classmate
**escribe** *(com.; inf.:* **escribir***)*   write
**espacio, el**   space
**estación, la** *(f., pl.:* **estaciones***)*   season

# f

**forma, la**   form
**forma** *(com.; inf.:* **formar***)*   form, make up
**formar**   to form, to make (up)

**frase, la** *(f.)*   phrase
   **una frase feliz**   a happy phrase

# h

**haz** *(com.; inf.:* **hacer***)*   make, do; ask
   **haz las preguntas**   ask the questions
   **haz un dibujo**   draw a picture, make a drawing
**hecho (-a)**   done
   **está hecho**   is done
**hora, la**   hour; time
**horario, el**   schedule

# l

**lee** *(com.; inf.:* **leer***)*   read
**letra, la**   letter
**línea, la**   line
**lista, la**   list
**luego** *(adv.)*   then

# m

**menos**   less
   **por lo menos**   at least
**mes, el**   month
**minuto, el**   minute
**mira** *(com.; inf.:* **mirar***)*   look (at)
**modelo, el**   model

# n

**nombre, el**   name
**nota, la**   note
**número, el**   number

# o

**o**   or
**oración, la**   *(f., pl.:* **oraciones**)   sentence
**orden, el**   *(m., pl.:* **órdenes**)   order
  **en el orden correcto**   in the correct order
**oscuro (-a)**   dark
**otro (-a)**   another

# p

**página, la**   page
**palabra, la**   word
**para**   for
**paréntesis, los** *(m.)*   parentheses
  **entre paréntesis**   in parentheses
**párrafo, el**   paragraph
**parte, la**   part
**pelota, la**   ball
**persona, la**   person
**pon**   *(com.; inf.:* **poner**)   put
  **pon las letras en orden**   put the letters in order
**por**   for
  **por lo menos**   at least
  **por último** *(adv.)*   finally
**pregunta, la**   question
**primero (-a)**   first
**primero** *(adv.)*   first

# q

**que**   that
  **que va con**   that goes with

# r

**reloj, el** *(m.)*   clock; watch
**respuesta, la**   answer
**ropa, la**   clothes, clothing

# s

**secreto (-a)**   secret
**según**   according to
  **según el tiempo**   according to the time
**segundo (-a)**   second
**sigue**   *(com.; inf.:* **seguir**)   follow
**sobre**   about
  **sobre el dibujo**   about the picture
**sopa, la**   soup
**subraya**   *(com.; inf.:* **subrayar**)   underline

# t

**tiempo, el**   time
**tu, tus**   your
  **en tus palabras**   in your (own) words

# u

**usa**   *(com.; inf.:* **usar**)   use

# v

**va**   *(inf.:* **ir**)   go, goes
  **que va con**   that goes with

# y

**y**   and